알마티의 현금 밴

Алматыдағы ақшалай фургон

-By Yogi (요기) Huh-

Yogi (요기) Huh 는
지난 20 여년간 평범한 직장인이면서 스릴러의 광적인
팬이었다. '20 년을 기점으로 소비자에서 생산자로 변신했고
좋아하는 20 세기형 스릴러를 쓰고 있다.

'알마티의 현금 밴'은 그의 여섯 번째 책이다.

For Sookyung, Jaeyeon,

and the girls

이 소설에는 실제 사건과 인물이 등장합니다. 하지만 재미를 더하기 위한 수단일 뿐 실상(實相)과는 무관합니다. 그 밖에 등장하는 사건이나 인물은 100% 가공된 것이며 명시되지 않은 한, 현실과 유사한 부분은 우연일 뿐입니다.

Prologue

D-35, 알마티

귀 옆과 뒤통수만 빼고 머리가 거의 다 벗겨진 중년의
사내는 활력이라고는 하나도 남아있지 않은, 모래바람이 일
듯 건조한 목소리로 통화하고 있었다. 어울리지 않는 고가의
무테 안경 뒤에는 피로와 좌절에 찌들은 눈동자가 허공을
향하고 있었고 수트 차림이긴 했지만 퇴근을 안 한지 며칠
되는 듯 짙은 회색의 상하의와 누렇게 된 와이셔츠는 잔뜩
구겨져 있었다. 의자는 눕기라도 하듯 한껏 뒤로 젖히고 땀
찬 발가락 양말을 신은 두 발은 책상 위에 올려놓았는데,
왼손에 들고 왼쪽 귀에 갖다 댄 스마트폰에서는 음성이
아닌 기름이 배어나오고 있는 듯했고, 오른 손에 들린
담배에서는 불붙은 채 한동안 방치되었던 듯 새끼손가락
만한 재가 막 떨어지려 하고 있었다.

"네, 형님."
"봤지?"
"..네.."

전화기 저쪽은 한 여당 중견인사의 자택이었고 전화를 건
사람은 전날의 대선 개표 결과에 대해 이야기하고 있었다.
선거 결과나 그 배경 혹은 사후 대책에 대한 좀더 많은
이야기를 기대하고 있던 전화기 이쪽의 기대와는 달리
저쪽에서는 바로 용건으로 들어갔다.

"그것 좀 옮겨야겠어."
"네? 어디로요?"
"…"

전화한 사람은 코로나 확진으로 인한 재택근무를 빌미로
일주일 가까이 밖에 모습을 드러내지 않고 있는 중이었는데
새벽을 뚫고 암호화 회선을 통해 이런 종류의 통화를
몇개나 돌리고 있었다. 각 통화가 채 30 초도 걸리지
않았지만 그 이후 이어질 조치들은 30 분 동안 이야기해도
담기 힘든 디테일을 내포하고 있었다.
전화를 끊고 사내는 스마트폰을 책상 위에 살포시 내려놓은
뒤 담배를 차(茶)인 듯한 붉은 색의 액체가 아직 반쯤 차
있는 작은 크리스탈 잔 안에 던져 넣어 껐다. 두 발을
책상에서 내려 밑에 놓아두었던 슬리퍼를 신고 잠시 창

밖의 어둠을 응시했다. 사무실 안은 난방으로 절절 끓었지만
바깥을 바라보는 것만으로 한기가 느껴지기라도 하는 듯
그는 진저리를 쳤다.

ул. Калдаякова 66, Алматы 050000 (Kaldayakov St
(칼데야코프가) 66, Almaty (알마티) 050000)

특별할 것 없어 보이는 거리에 한국 총 영사관은 자리잡고
있었다. 좌우로 4~5 층짜리 오피스빌딩들 사이 3 층짜리
건물이었는데 지붕 바로 아래 걸린 태극기와 대문 옆의
자그마한 명패가 아니라면 작은 박물관이나 문화센터처럼
보이는 곳이었다.
3 층에 있는 총영사의 방은 문을 열고 들어가면 칼데야코프
거리가 내다 보이는 창을 중심으로 좌측에는 업무용 책상,
우측으로는 접객용 소파와 테이블이 있었고, 우측 벽에는
선명훈 대통령의 사진, 태극기, 그리고 '정의와 공정'을
강조하는 정부 구호가 담긴 액자가 순서대로 걸려있었다.
진저리를 치고 있는 그 방의 주인은 총영사 제갈성이었다.
68 년생으로 K 대 재학시절 열렬한 운동권이었던 그는 운
좋게도 졸업할 때까지 동지들 대다수처럼 감옥에 가거나
체포된 적조차 없었지만 사회로 나갈 준비가 전혀 안되어

있었다. 생계때문에 막노동이라도 해야 할까 생각하던 중
30세의 좀 늦은 나이에 '적의 심장으로 뛰어들리라'는
생각으로 응시했던 국가안전기획부 (국정원의 전신)에 운
좋게 합격했다. 그 후 본인의 정치적 성향과 반대되는
정권이 몇 번이나 거듭되는 동안 계속 눈에 띄지 않는
자리를 전전하며 버티다가 이번 선명훈 정권 들어서서
중요한 업무를 맡아 활약하고 있던 중이었다. 누가 봐도
알마티 총 영사가 그리 중요한 포지션은 아니었지만 그가
맡고 있는 프로젝트는 사정이 달랐던 것이다.

제갈에게 형이라 불렸던 자는 학부 때 따르던 운동권
선배이자 집권 A 당 총무본부 소속의 당직자 ㄱ이었는데,
그 역시 눈에 띄는 자리에 있다고는 할 수 없었지만, 그
중요한 프로젝트를 지휘하고 있었다.

제갈은 책상 위에 놓인 작은 위안부 소녀상의 목을
비틀었고, 이내 둔탁하게 모터 돌아가는 소리가 나더니
업무용 책상 뒤 벽이 열리면서 한 사람이 겨우 들어갈 만한
공간이 나왔다. 그는 그 공간으로 들어가 벽을 더듬어 버튼
하나를 눌렀고 그러자 열렸던 벽이 다시 닫히면서 천정의
LED 조명이 들어왔다. 조명 아래로 지하까지 바로 통하는

입구와 사다리가 보였고 그는 그 심연 같은 구멍을 향해
기어 내려가기 시작했다.

'정의와 공정'의 기치아래 시민혁명을 통해 마침내 청와대에
입성했을 때, A당 원로 중 하나는 "앞으로 100년 이상
집권할 수 있는 기반을 마련하겠다"며 기염을 토했었다.
하지만 10년만에 집권한 그들에게 그렇게 자신들의 세상을
만들고 지키는 일은 녹록치 않았다.
이념에 기반한 반 시장적 경제 정책과 그로 인한 부동산
가격 폭등, 그 위에 사상 초유의 재앙이라 불린
팬데믹(Pandemic), 친하게 지내고 싶었던 북으로부터의
안보위협은 지속적으로 정권의 안정성을 압박하는
요인이었고, 무엇보다 정권내내 연달아 터진 정부와 여당
인사들의 부패스캔들은 정의와 공정을 위한 '나라 바로
세우기'를 내부로부터 불가능하게 만들었다.
정권을 탄생시켰던 세력은 대선 1년여 전부터 일찌감치
레임덕에 빠진 정권을 불안한 눈빛으로 바라보고 있다가
선거 1개월을 앞두고 급기야 'Plan B'를 수립하기에
이르렀다. 미디어를 통해 대중들에게 공유되는 데이터는
정권과 집권당의 인기가 견조함을 보여주고 있었지만

'세력'의 중견 인사 중 누구도 그런 숫자를 믿고 있지는
않았다.

그 날, 그 기름기로 가득한 스마트폰 모니터에는 대선 개표
결과, 야당인 B 당 인제명 후보가 대한민국 OO 대
대통령으로 당선이 확정되었다는 뉴스와 함께 환호하는
관계자들과 시민들의 모습이 보여지고 있었는데, '세력'의
핵심인 ㄱ은 대선 패배의 원인을 분석하고 대외적인 입장을
발표하는 쓸데없는 일에 시간을 낭비하기 보다는 그 'Plan
B'를 실행하는데 집중하고 있었던 것이다.

사다리는 지하 2 층까지 통했는데, 해당 층은 어떤 공식
문서에도 존재하지 않는 것이었다. 바닥에 발이 닿자 제갈은
돌아섰고 그의 앞에는 육중한 철문이 기다리고 있었다. 그
문 뒤에는 70 년대 구소련 시대에 지어졌던 핵 공격 대비
비상대피시설이 있는데 반해, 문 옆에는 개발된 지 채
5 년이 안된 안구인식 개폐장치가 있었다. 제갈은 먼저 여덟
자리 비밀번호를 입력해 넣고 스캐너 앞에 자신의 오른쪽
눈을 갖다 댔다.
오래되고 육중한 문이었지만 주기적으로 몇달에 한번은
열려야 했고, 이를 위해 자주 기름칠을 해 준 덕에
스무스하게 열렸다. 제갈은 들어가서 문을 닫고 해치처럼

생긴 핸들을 돌려 잠갔다. 방금 내려온 계단의 출발점처럼 자동으로 방안에 불이 들어왔고, 채 열 평이 안되는 크지 않은 공간에 가로 3.2 X 세로 1.3 X 높이 3.8 미터에 투명한 비닐로 싸여 있는 '그것'이 그의 시야를 가로 막았다.

1장

D-14, 알마티 근교 쉼불락(Shymbulak) 스키장

"나처럼 작은 나라에서 온 사람은 항상 큰 나라의 하늘에
압도돼. 저 하늘 빛 좀 봐. 왠지 보는 사람들의 몸을 수십
조각으로 동강낼 듯 시퍼런 게 시야를 가로막아 버리잖아."

방금 곤돌라에서 내린 반백의 남성은 답답했다는 듯 편광
고글을 벗으며 말했다. 모처럼 바람도 눈도 구름도 없는
영하 3도의 상대적으로 포근한 날씨였는데 그는 쏟아지는
겨울 햇빛으로 눈이 아픈 듯 얼굴을 잔뜩 찌푸리며 말했다.
얼굴을 폈다면 부리부리한 두 눈에, 오똑하지만 약간
비틀어진 코, 대체로 다물어져 있을 듯한 두꺼운 입술,
하지만 온 세상 돈을 다 끌어모을 듯한 크고 귓불이 두터운
귀를 보고 한국 사람들은 언젠가 허준을 연기했던 중년의
남자 배우가 입술을 아주 약간 부풀렸다고 생각할지도 모를
일이었다. 몽클레어(Moncler) 브랜드 네이비(Navy) 톤
상의와 검은 색 하의 스키복을 착용한 세련된 모습이었는데
서 있는 자세는 뭔가 어정쩡했다.

"난 시내풍경만 보고 있었는데.. 빨리 내려가요, дорогой
(Dorogoy – 자기)."
"어…난 좀…"

굴곡이 현저한 몸매를 선명하게 보여주는 핑크와 하얀색의
전신스키복과 남성과 같은 오클리(Oakley) 브랜드의 고글을
착용한 여성은 솜사탕처럼 가볍고 부드러운 목소리로
말하며 폴대로 남성의 부츠를 톡톡 쳤지만 후자는 하강하는
걸 생각만 해도 신물이 넘어오는 듯했다.

수현에게 곤돌라를 타고 해발 3200 미터 정상으로 가는
것은 굴미라(Gulmira)가 아니었다면 생각할 수조차 없는
일이었다. 스키 자체가 그에게 힘든 것은 아니었다. 환갑을
넘은 나이에도 철저한 자기관리로 많이 봐야 40 대 후반
정도로 밖에 보이지 않는 그는 거의 모든 스포츠를
즐기는데 아무런 문제가 없었다. 특히, 20 세 연하의
여자친구가 생긴 후부터는 자신이 이미 십여년전에
내려놓았었던 다양한 엔터테인먼트들을 자의반타의반으로
즐기고 있던 참이었는데 경미한 고소공포증이 있어서

스키장에 오는 것, 더욱이 이렇게 높이 올라오는 건 안
하려고 끝까지 버티다가 기어이 끌려온 참이었다.

중앙아시아에서 가장 큰 이 스키장은 슬로프가 길어서
25분 이상 내려가야 했다.

같이 내려가자며 조르는 굴미라를 '아래 카페에서 보자'며
먼저 보내고, 좀 추스르고 난 후 수현은 출발했다. 며칠 전
내린 눈으로 30 ~ 35 Cm 자연설이 싸인 슬로프의 느낌은
폭신폭신하고 부드러웠다. 시작하는 높이와 그만큼 빨리
붙기 시작한 가속도 때문에 하체에 힘을 잔뜩 줘야 했지만
얼굴을 때리는 기분 좋게 차가운 바람과 밑에서 기다리고
있을 굴미라 생각에 힘들다는 생각은 들지 않았다.

"Кешіріңіз! (Keşiriñiz! - 실례합니다!)"
'오 이런!'

스키부대라도 되는 듯, 위아래 스키복에 헬멧까지
하얀색으로 맞춰 입은 카자흐 청년이 앗 하는 사이에
수현의 오른쪽을 스쳐 지나갔다. 커다란 고글을 쓰고 있기도
했지만 어떤 특징을 잡기엔 너무 짧은 시간이었다. 수현은

자신이 너무 천천히 내려가는 게 아닌가 싶어 방향을 좀더
아래쪽으로 틀었다. 하지만 얼마 내려가지 않아 또
오른쪽에서

"Высматривать! Мне жаль. (Vysmatrivat´! Mne zhal´ -
조심하세요! 미안합니다.)"

똑같은 복장을 한 청년이 그를 거의 칠 뻔하면서 지나갔다.
먼저 스치고 지나간 사람과 체격도 비슷해서 그가 사용한
언어가 러시아어가 아니었다면 같은 사람이라 생각했을지도
모를 일이었다. '별 일이군.' 수현은 다시 속도를 좀
낮추면서 주변을 둘러보았다. 최상급 코스라 애시당초
사람도 별로 없었고, 무엇보다 젊어서의 직업과 최근
살아온 환경때문에 습관적으로 항상 사주경계를 하는데도
자신이 두 명이나 그런 식으로 놓쳤다는 게 믿어지지
않았다.

'만약 미행이었다면…'

왼쪽 앞에 슬로프 울타리를 터서 쪽문처럼 만들어 놓은
곳이 보였다. 아마도 슬로프 보수를 위해 스태프(Staff)들의

스노우 모빌이 손님들을 방해하지 않고 수시로 드나들 수 있도록 서비스 슬로프를 만들어 놓은 듯했다. 두번이나 오른쪽에 괴한(?) 들이 갑자기 나타났던 덕에 수현은 부지불식간에 그 '쪽문' 쪽으로 가고 있는 자신을 발견했고, 퍼뜩 정신이 나서, 방향을 오른쪽으로 틀어 서비스 슬로프로 빠지지 않으려 했다. 그 때였다.

"죄송합니다!"

이번에는 한 여성의 급박한 목소리가 들렸고 수현은 세번째로 벌어진 돌발 상황도 상황이었지만 갑작스런 한국어에 놀라 왼쪽으로 넘겨졌다. 10 미터 이상을 구르면서 '쪽문'을 통과해 버렸고 어느새 가속이 붙어 그는 더 이상 자신을 통제할 수 없는 상태로 비명을 지르며 서비스 슬로프를 굴러 내려갔다. 얼마나 내려갔을까 속도와 충격때문에 잃었던 정신을 다시 차렸을 때는 시야가 구름 한 점 없는 시퍼런 하늘로 가득했다. 팔과 다리를 움직여봤다. 부러진 곳은 없는 듯 잘 움직였는데 발쪽이 가벼워진 걸로 보아 굴러 내려오면서 스키는 어디론가 날아간 모양이었다. 스키 폴(pole)도 왼쪽 손목에만 하나

걸려있었다. 수현은 금방 몸을 일으키지 않고 한동안 하늘을 바라보며 자신이 어떤 상황에 처한 건지 이해하려 했다.

'세 명의 스키어(Skier)가 나를 스치고 갔다. 첫번째는 카자흐 남성, 두번째는 러시아 혹은 러시아어가 가능한 외국인 남성, 세번째는 한국인 여성. 처음 두 명은 똑같이 하얀색, 스키부대 옷을 입었고, 여자는 모습을 확인할 수조차 없었다. 우연이었을까?'

그리고 그가 스스로의 질문에 '아니다!'라고 대답하며 상체를 일으켰을 때 그의 눈 앞에 두 대의 스노우 모빌이 보였다. 각각 하얀 스키복을 입은 사람들을 태우고 있었는데 체격으로 보아 조금 앞서 오고 있는 모빌에는 한 명의 남성, 뒤 모빌에는 남성과 여성이 타고 있는 듯했다.

'Шымбұлақ тау шаңғысы курорты (Shymbulak Ski Resort)'

두 대의 모빌이 그가 주저앉아 있는 쪽으로 점차 가까워 지면서, 어렴풋이 눈에 들어온 글자였다. 모빌에 타고 있는 자들의 가슴팍에 오바로크되어 있었다. 넘어지기 직전에

'쪽문'을 보고 수현이 예상했던 것처럼 자신이 굴러 내려온
길이 서비스 슬로프였던 게 틀림없었다. 수현은 자신을 향해
다가오고 있는 사람들의 모습을 좀더 자세히 보기 위해
미간을 찡그렸지만 커다란 고글과 마스크로 가려진 얼굴은
인식 불가였다. 그리고 세 사람이 마침내 앞으로 와 모빌을
멈추고 내려 그를 부축해 일으켜 주면서 입을 열었을 때,
수현은 놀라움과 동시에 아주 익숙한 불안감이 엄습함을
느꼈다.

"괜찮으십니까? 장군님."
"к…кто ты? (kto ty - 다…당신들은 누구요)?"

세 사람은 서로의 얼굴을 번갈아 보는 듯했다. 수현은
자신이 누군지 뻔히 아는 자들에게 영문을 모르는 듯
러시아어로 말했고 세 사람은 그 반응이 약간은 의외이기도
약간은 우습기도 했던 모양이었다. 수현은 그들이 마스크
뒤로 비웃는 모습을 상상했다.

"장군님을 기다리는 분이 저 아래 계십니다."

갑작스럽고, 당황스럽고, 두려운 상황이면서도, 또한 익숙한 상황이었다. 수현은 말없이 세 사람 중 리더인 듯한 자의 손짓에 따라 한 스노우 모빌에 올라타 그의 허리를 잡았고 이제 넷이 된 일행은 '아래'를 향해 출발했다.

용수현. 1961년생으로 2010년초에 소장으로 예편할 때까지 주로 정보계통에서 엘리트 코스만을 걸었다. 군복을 벗은 후에는 대한민국의 한 방산업체 CEO로 있으면서 뛰어난 경영자로서의 능력을 보여주기도 했다. 하지만 당시 정부의 대대적인 방산비리 수사과정에서 중요 증인 내지는 피의자로서 지목 받아 군과 민간 사법기관의 추적을 받던 그는 2015년 후반에 갑자기 사라졌었다. 그러나 부패한 군 장성이라는 것보다 정보사 출신 기업인이라는 측면이 더 부각되면서 다양한 루머들이 들려왔다. 혹자는 그가 국군정보사에 끌려갔다고 했고 혹자는 그가 미정보부에 의해 납치되어 CIA 본부가 있는 랭리(Langley) 소재 특수 감옥에 수감되었다고도 했고, 심지어 중국 국가안전부 (Ministry of State Security, MSS)에 의해 암살되었다고 까지 했다.

하지만 그는 어딘가에 갇히지도, 누군가에게 죽임을
당하지도 않고 살아 있었다.

수현은 오랜 정보사 경력을 통해 얻은 네트워크를 활용해
러시아와 구소연방 국가 고위직 고객들이 자국의 군이나
정보기관을 동원할 수 없는 민감한 문제들을 대신 해결해
주면서 상대적으로 한.미.중의 추적망이 느슨한
중앙아시아를 무대로 활동하고 있었다. 2010 년대말
상원의장이자 UN Director General 이었던 토카예프가
고객이 되었던 것은, 또 그의 서비스를 마음에 들어 했던
건 행운이었고, 이후 수현은 알마티에 '유라시안
네트웍스(Eurasian Networks)'라는 회사를 차리고
카자흐스탄에 본격적으로 뿌리를 내리게 되었던 참이었다.

삼인조의 안내를 받아 도착한 '아래'는 예상 외로 수현이
전에도 와본 적이 있는 쉼불락 호텔 리조트 클럽하우스에
있는 한 프라이빗 룸(Private Room)이었다. 크지 않지만
아늑한 방은 문을 열고 들어가면 정면에 스키 슬로프가
보이는 창을 중심으로 여덟 명이 같이 식사를 할 수 있는
직사각형 테이블과 의자가 세팅 되어 있었고 창 오른편

구석으로는 뷔페를 준비할 수 있도록 긴 서비스 테이블이
있었다.

3인 중 두 사람은 들어오지 않고 밖에서 보초를 서 듯 문의
양 옆에 섰고, 자신을 모빌에 태워줬던 사람은 방안으로
들어가 문 옆에 자세를 잡았다. 고글과 마스크를 벗은
모습을 보니 모두 한국인들이었다.

"이 장군, 굳이 그렇게 까지 드라마틱하게 나타날 필요가
있었나요?"

수현은 테이블 왼편 의자 중 하나에 앉아 창밖을 바라보고
있다가 일어나며 악수를 청하는 자를 노려보며 말했다.
악수에는 응하지 않았고 방한모, 고글과 마스크만 벗었다.
뻘쭘하게 웃으며 악수하려던 손으로 수현에게 자신의
맞은편, 테이블 오른편 의자 중 하나를 권하며 앉은 후자는
수현의 2년 후배로 정보사에서 소장으로 예편한 후, B당
비례대표 의원 생활을 하다가 인제명 당선인 캠프에
합류했고, 현재 인수위에서 활동하고 있는 이찬이었다.
스키어로 가장하려다 귀찮아졌던 듯 위에는 카키색 스키
파카를 입었지만 그 안에는 검은색 스웨터와 짙은 회색
양복바지에 다시 검은 신사화를 신은 모습이었는데 방금

전까지 담배를 피고 있었던 듯 앞에 놓인 철제 재떨이에는
두 개의 아이코스(IQOS) 꽁초가 보였다. 숱이 별로 없는
머리를 올백으로 빗어 넘긴 넙데데한 얼굴 한가운데엔
낮지만 폭이 넓은 코가 떡하니 자리 잡았는데 그 위로는
단추구멍같이 작은 눈이, 아래로는 너무 무거워 쳐진 듯한
두터운 입술이 있었다. 군장성이나 고위 공무원이라기 보다
마피아조직의 보스같은 인상이었고, 2년 선배인 수현보다
10년은 더 나이들어 보였다. 입을 열자 니코틴에 찌들어
사이사이 짙은 갈색으로 변한 치아가 보였고 그 사이로
가래때문에 그렁거리면서도 어울리지 않는 하이톤의
음성이 나왔다.

"아시잖습니까, 평생 예고하고 나타날 팔자가 못된다는
거..후후"

고통으로 찡그린 것인지 웃는 것인지 분간하기 힘든 그의
표정을 보면서 수현은 5년전 서울에서 있었던 사건을
떠올렸다. 방산비리 사건의 증인 혹은 용의자 중 하나로
지목된 그는 부패수사와 전혀 무관한 일 때문에
강남경찰서에 갔다가 나오는 길에 이찬이 보낸 정보사
요원들에게 납치되었었다. 지금처럼.

"자.. 뭘 어떻게 도와드리면 될까?"
"선배님, 그 질문은 제가 드리는 게 맞을 것 같은데요."

이찬의 얼굴은 웃고 있었지만 그 속에 있는 눈은 다른 표정을 하고 있었다. 수현은 현재 한국, 미국, 중국의 정보부에 쫓기고 있는 몸이었고 새로 집권한 인제명 정권에서 국정원장을 맡게 될 이찬에게 어떤 도움이 필요하냐고 묻는 건 자신이 생각해도 뭔가 이상하긴 했다.

"허허, 그럼 내가 어떤 도움을 받게 됩니까?"

이찬은 문 옆을 지키고 있는 자에게 눈짓했고, 후자가 문을 닫고 나가자, 상체를 수현 쪽으로 살짝 기울인 뒤 그의 눈을 똑바로 쳐다보며 목소리를 낮추고 또박또박 말하기 시작했다.

"선배님, 인생의 마무리는 조국에서 하셔야 하지 않겠습니까?"
"그거야…"

"따님과 손주도 서울에 계시죠? 보고 싶을 때 수시로
보시고…"

가족을 들먹인다는 건 협박이었다. 수현은 화가 치밀었지만
드러내지 않고 상대방의 얼굴을 살폈다. 뭔가 제안하려 하는
게 틀림없었다. 후자는 그런 수현의 의중을 읽고 말했다.

"몇 년 전부터 소문은 무성했습니다만 선명훈 정권에서
비자금을 조성해 해외에 숨겨두고 있다는 이야기가
있었습니다."
"그건 선 정권 뿐 아니라 모든 정권에서 했던 짓 아닌가요?
인 정권은 안 할까요?" 이찬은 수현의 의도적인 도발을
무시하며 계속해서 말했다.
"후후… 물론 그렇겠지요. 하지만 이번에는 규모와 숨기는
방식이 좀 남달랐던 것 같습니다."

비자금을 조성하는 것도 그걸 숨기는 것도 쉽지 않은 일이
되어버린지 오래였다. 대규모 정부 발주 공사나 거액
무기거래 시의 리베이트, 재벌 들로부터의 뇌물 등
뻔하면서도 잘 드러나지 않았던 구 정권들의 금원(金源)이
다름아닌 선 정권에 의해 까발려 지면서 더이상 같은

방법으로는 비자금을 조성하기 어려워졌다. 더욱이 조성된
돈을 감추는 것은 '18년부터 스위스 은행조차 더 이상
고객들에 대한 정보를 비밀로 유지하기 어려워지면서
불가능에 가까운 상황이 되어버린 것이다. 이찬은 이야기를
이어갔다.

"인수위가 구성되기 한참 전부터 정보사와 국정원의
네트워크를 통해 정보를 수집해 왔는데 선 정권에서
30억불 정도의 비자금을 지난 5년동안 그러니까 정권을
잡으면서부터 내내 조성해서 회색지대에 있는 몇 개 나라에
분산하여 숨겨놓았다고 하는 군요."

살면서 경천동지할 만한 일을 한두 번 겪은 것이
아니었기에 수현은 잘 놀라지도 않았고, 더욱이 그걸
표현하는 일은 많이 서툴렀지만 지금 이 말을 듣고는
오히려 그걸 감추는 것이 더 어려웠다.

"네, 맞아요. 우리나라 돈으로 3조 5천억 가까이 됩니다.
그 돈을 빼돌리고 숨긴 방식을 들으시면 아마 더 기가
막히실 거에요."

이찬은 수현의 표정을 살피면서 예상한 반응이라는
표정으로 옅은 웃음을 띠었다.

"선명훈 정권 때, 두 번의 대규모 금융스캔들이 있었던 걸
기억하실 겁니다."

"레몬과 프라임?"

"신문 꾸준히 보셨네요. 그럼 피해 규모로 거론되는 금액도
대충 말씀하실 수 있을 겁니다."

"5 조원이 넘지 않나요?"

"네 비슷합니다. 정확하게 5.7 조원이 그 두 개의 펀드를
거친 후 수십개의 역외 자산들을 통해 증발해 버렸지요."

"요즘 같은 세상에 '증발'이 가능합니까?"

"후후… 선배님, 테크놀로지는 그렇지 않다고 얘기하는데
그 테크놀로지를 컨트롤하는 자들의 이야기는 좀
다르더군요. 레몬과 프라임, 각각 운영자산 3 조와 5 조원
펀드들은 주식, 채권, 부동산, 비트코인 … 돈이 되는
자산이라면 제한을 받지 않고 투자할 수 있는
사모펀드들이었습니다. 법의 감시가 느슨한 사이 만들어졌던
상품들이었지요. 그리고 그러니 만큼 고수익이 가능하다면
정말 공격적으로 전 세계의 위험자산에 투자를 해 댔습니다.
적어도 남아있는 흔적들은 그렇게 이야기하고 있습니다.

하지만 알고 보니 거의 대부분 위험자산도 아닌 아예 '가공자산'에, 사실 투자가 아닌 '이체'가 되어 왔던 겁니다."

"그래도 법과 절차라는 게…"

"법과 절차도 사람이 운영합니다. 오로지 이 법절차가 제대로 지켜지나를 감시하는 것만으로 밥벌이를 하는 사람도 정부와 민간 포함해서 수백 수천 명일 텐데 문제는 이 '사람들'이, 좀더 엄밀히 말하면 이 사람들을 움직이는 사람들이 돈을 빼돌리는 자들과 한통속이라면 법절차라는 것도 얼마든지 하나의 이해관계를 위해 조작되고 이용될 수 있다는 거죠."

수현은 고개를 끄덕였다. 본인 자신이 비자금이 조성되고 이것이 정계와 관계, 언론계에 뇌물로 뿌려지는 걸 목도해 온 사람으로써 이찬의 이야기는 수긍할 수 밖에 없는 것이었다.

"돈을 관리하는 자들도 선정권을 탄생시킨 세력이 수십년간 관리해 온 자들, 그러니까 주로 보이지 않는 자리에 두고 뒤를 봐주면서 길러온 사람들이라 하는데 이들은 소위 사상검증이 된 자들일 뿐 아니라 '세력'이 확실하게 약점을

쥐고 있는 자들로 만약 배신할 경우, 죽음보다 더
고통스러운 결말이 기다리고 있다는 걸 잘 알고 있습니다."
"충격적인 정보입니다만 여전히 그게 나하고 무슨 관계가
있는지…" 반은 궁금해서, 나머지 반은 상대방과의
대화시간을 조금이라도 줄이려는 의도로 수현은 물었고
이찬은 그의 질문이 대본에 있었다는 듯 바로 대답했다.
"선배님, 선 정권이 조성한 비자금의 반 이상이
카자흐스탄에 있습니다. 여기 알마티에요. 자금의 관리와
운반을 맡은 자가 다름 아닌 총영사 제갈성입니다."

이름을 들어본 적은 있었다. 그 닥 파티애니멀(Party
animal)이라고 할 수 없는 자신이 비즈니스때문에
불가피하게 참석했던 몇몇 행사에서 얼굴을 본 적이 있는
것도 같았다. 개인적 배경에 대한 이찬의 추가 설명을 듣고
보니 어느 정도 캐릭터도 짐작은 되었다.

"선배님께서 그 돈을 좀 찾기 위한 비밀 작전을 좀 이끌어
주셔야 되겠습니다."
"허허 내가 무슨 힘이 있다고… 이건 정말 어불성설이네요,
차기정권 실세께서 도망자 신세인 사람한테."

"인제명 당선자가 정식으로 대통령이 되려면 아직 두달이나 남아 있습니다. 그 정도면 선명훈 현 대통령이, 아니 선정권을 만들어 낸 세력이, 30억불 전액을 전 세계에 숨기고도 남을 시간입니다."

"비밀 작전은 이 장군 전문분야 아닙니까?"

수현의 시니컬한 반응에 이찬은 짜증에서 인지 허탈함에서 인지 한숨을 쉬었다. 하지만 후자의 작은 눈엔 아무것도 드러나지 않았다.

"제가 여태까지 수행했던 작전들을 국회에서, 특히 A 당에서, 안다면 저는 여생을 감옥에서 보내야 할지도 모르겠습니다만 단언하건데 항상 국가를 위한 것이었지 제가 정치적인, 더욱이 개인적인 이해를 위해 그 작전들을 수행했던 적은 단 한번도 없었습니다."

상대방 입장에서 생각해 보면 정보사나 국정원이라는 공식적인 지위가 있어도 정식 수교국에서 그런 작전을 펼치는 것은 리스크(Risk)가 클 텐데, 더욱이 그런 지위조차 없는 상태에서는 정말 아무것도 할 수 없을 것 같았다. 무엇보다 작전의 목표가 돈을 찾아오는 것이기에

아무리 프로페셔널이라고 해도 돈 만을 위해 일하는
자들에게 믿고 맡길 수도 없었다. 그 때 수현의 생각을
읽기라도 하고 있었듯 이찬이 고통스러운 표정, 아니
희미한 미소를 지으며 말했다.

"근데 그 '비밀 작전' 말입니다만 이미 시작되었습니다."

수현은 기가 막혔다. 하지만 눈 앞의 남자는 결코 거절을
받아들이지 못하는 타입이기에 제안처럼 풀어냈던 그의
이야기는 사실상 명령이었다. 만약 거절한다면 자신은
더이상 카자흐에 머물기 어려운 신세가 될 것이고
대한민국에 있는 가족들도 자신때문에 고통받게 될
가능성이 높았다.

"하겠습니다. 하긴 하는데 이 장군이 먼저 해결해줘야 할
일들이 좀 있어요."
"그게 뭡니까?" 이찬의 얼굴이 밝아졌다.

수현이 정보사에서 했던 일들은 조직 내부에서도 아는
사람들이 많지 않았다. 물론 그의 후임이었던 이찬은 어느
정도 알고 있었다. 수현은 스파이였다. 출발은 분석업무에서

시작했지만 해외 공관을 돌기 시작하면서부터는 수집 및 공작의 영역까지 진출하게 되었고 수백 건의 크고 작은 비밀작전에서 때로는 주력 요원으로 때로는 총 책임자로써 혁혁한 공을 세웠던 바 있었다.

특히, 그의 실적은 워싱턴 군사연락관실에서 일할 때 빛났고, 구소연방의 붕괴 이후 무서운 속도로 공산권의 맹주이자 미국의 주적의 자리를 향해 질주하던 중국의 많은 비밀들을 알아냈다. 그의 정보원은 한 대만 여성이었는데 그녀를 통해 크게는 중국국가안전부(Ministry of State Security, MSS)가 관리하고 있는 미국내 정보원 리스트, 작게는 미국방부 직원을 리쿠르트하기 위해 벌이고 있던 작전의 디테일까지 그들의 음모를 낱낱이 파헤쳤다. 예편 후까지도 그는 그 정보원을 운용했고 대한민국의 대중 정보수집 활동에 크게 기여했었다. 방산비리 사건의 수사대상이 되면서 그를 보는 시각이 달라지긴 했지만 남한 정보계통(Intelligence community)에서 그는 전설로 통했었다.

사실 그가 한미의 대중 정보수집 뿐 아니라, 중화인민공화국의 대미.대한 정보수집에도 기여했으며 그의 정보원(Asset)이 사실 관리자(Handler)이기도 했다는 것이 밝혀지기 전까지는.

***

미팅이 끝나고 서둘러 간 호텔 카페는 높은 천장에 4면이 통유리 창으로 되어있어 쉼블락이 속해 있는 산악지역의 장관을 볼 수 있고, 웬만한 한국 5성급 호텔의 그랜드 볼룸(Grand ballroom)급 크기의 공간 정중앙에 자리한 거대한 파이어플레이스(Fire place) 주변에 드문드문 테이블들이 배치되어 있는 곳이었다. 전체적으로 붉은 톤의 카펫에, 인테리어는 통나무를 사용한 스위스풍으로 꾸며져 있었는데 굴미라는 구석자리를 잡고 차를 마시며 창 밖을 물끄러미 바라보고 있었다.

"내가 너무 늦었지? 미안해. 중간에 넘어져서…"

수현은 미안한 표정으로 굴미라에게 사과하려 했고, 그녀는 그에게 불평하기는 커녕 넘어졌다는 말에 다친 데는 없는지 걱정스러운 표정으로 그를 바라봤다. 수현은 그녀가 자신이 좋아하는 얼굴을 하자 미소를 지었고 후자도 미소로 답했다.

5년여전 한국에서 떠날 때, 서울에서 그에게 여러가지 일이
한꺼번에 일어났었다. 모두 일반인들은 상상도 할 수 없는
심각한 일들이었지만 본인 입장에서 가장 큰 일은, 사실상
'심각한 일'들의 단초였던, 아내가 살해당한 일이었다.
아내가 자신의 정부(情夫)에 의해 집에서, 그것도 안방에서,
살해되었던 걸 생각하면 좀 배신감이 느껴지고 화가 치밀어
오르기도 했지만, 그 정부가 사실은 자신의 목숨을 노리고
아내에게 의도적으로 접근했던 자였던 걸 생각하면
한편으로 한없이 미안한 마음이 들기도 했다. 다른
한편으로, 부부로서 관계에 대한 충실함으로 따지면, 아내가
고작 2~3개월 외도했던 데 반해, 자신은, 비록 대부분
'업무적인' 관계였지만, 미국에 20년 이상의 관계를 가져온
파트너가 있는 셈이었기에 비교가 불가능한 정도이기도
했다.

아내는 수현의 진정한 사랑이었다.

그리고 설사 사랑이 전혀 없었다 하더라도 부부의 연을
맺고 20년 넘게 살았던 두 사람의 관계가 그런 식으로
마무리 될 수는 없는 것이었다. 도피생활 5년 중 초반 2년

가까이 한.미.중 각국 정보기관들의 눈을 피해 하루가 멀다 하고 거처와 국가를 바꿔야 했지만 그 바쁜 와중에도 아내 시신의 이미지는 그를 끝없는 악몽과 불면에 시달리게 했다. '20년대 초반 알마티에서 자신의 새로운 생존 기반을 구축했을 때, 이제 물리적인 위협은 거의 사라졌지만 몸이 자유로워지는 만큼 마음은 상처는 깊어져만 갔다. 사랑은 커녕 이제 인간 대 인간 간에 아주 기본적인 유대관계를 맺는 일조차 불가능할 것이라는 생각이 들었다.

굴미라가 나타나기 전까지는.

***

2년전, 알마티 카스티예프 미술관 (A. Kasteev Museum of Art)

"Кажется, тебе очень нравится эта картина (Kazhet·sya, tebe ochen' nravit·sya eta kartina, 이 그림 정말 좋아하시나 봐요.)"

수현은 서서 유목민 출신 한 작가의 풍경화를 감상하고 있었다. 누군가가 러시아어로 말을 걸어올 때까지 자신이 그렇게 오랜 동안 그 그림을 보고 있었는지도 모를 정도로 그는 몰입해 있었다. 1000 호 (5.3m X 2.9m)쯤 되는 캔버스 속에는 천산산맥의 설산과 그리고 구름이 군데군데 떠 있는 하늘을 배경으로 스텝(Steppe) 평원 위에 서 있는, 거의 점 하나처럼 보이는 형체가 그려져 있었다. 말을 걸어 준 사람 쪽을 쳐다보지도 않고 그는 이야기했다.

"내가 저 사람인 것 같아서요."
"흐음 사람이 있나요? 그리고 그렇다 쳐도 그게 무슨 말씀이시죠?"
"어디서 어떤 이유로 이 낯설고 험한 세상에 나오게 되었는지 갑자기 하늘에서 뚝 떨어지게 된 건 아닌지… 또 저기서부터 어디로 가야 하는지, 누구랑 가야 하는지, 누군가를 만날 수 있기는 한건지…"

말을 걸었던 사람도 갑자기 흥미가 생겼는지 옆에 나란히 서서 그림을 보기 시작하자, 그제서야 수현은 옆쪽을 힐끗 바라봤다. 카자흐 국기 배경과 같은 하늘색 스커트 정장 차림의 여자는 원래 키도 큰 데다가 높은 굽을 신었는지

거의 자신의 눈높이에 얼굴이 와 있었는데 볼록한 이마에
크거나 길지 않으면서도 오똑한 콧대, 그리고 도톰하고도
붉은 입술이 희고 깨끗한 피부와 대비되는 미인이었다. 만약
키가 5~6 센티미터 더 컸다면 인기 배구선수인 사비나
알틴베코바 (Sabina Altynbekova)의 막내 이모 쯤으로
착각하는 사람들이 꽤 있을 것 같았다. 시선을 느꼈는지
그녀가 자기 쪽으로 얼굴을 돌리자 수현은 얼른 시선을
그림 쪽으로 되돌리고 말을 이어갔다.

"아마 저 평원까지 오는 길도 순탄치만은 않았을 겁니다.
자동차나 말처럼 탈 것도 없이. 계절도 봄이나 여름은 아닌
것 같고 늦가을처럼 보여요. 스텝(Steppe)에서는 기온이
높아도 바람이 불면 많이 추울 텐데… 그래도 멈출 수는
없죠. 살아남기 위해서는 계속 움직여야 하니까요." 여자는
줄곧 수현의 말을 경청하며 미간을 약간 찡그려가며 그림
한번 보고 질문 한번 하는 일을 반복하는 중이었다.
"살기 위해 움직여야 한다? 왜죠? 그리고 그렇더라도
저렇게 혼자 가야만 하는 건가요?"
"저기에 머무른다면 살 수 있을까요? 그러면서 누군가가
나를 찾아 주기를 바란다면 대체 얼마나 기다려야 할까요?"

질문에 질문으로 답한 뒤, 수현은 고개를 살짝 돌려 여자 쪽을 봤다. 후자는 좀 전부터 수현을 보고 있었던 것 같았다. 그리고 그 5 분쯤 된 듯한 미소와 함께 그녀는 손을 내밀었고 수현은 잡았다.

"굴미라 이즈바스티나 (Gulmira Izbastina)에요."
"용수현이라고 합니다"

이질적인 한국 이름을 듣고도 그녀는 특별히 반응하지 않았다. 어쩌면 얼굴과 옷차림때문에 어느 정도 짐작하고 있었던 것 같기도 했다.

"이 전시회의 주관자로써 선생님이 저 그림을 거의 30 분째 정지동작으로 보고 계시는 걸 그냥 지나칠 수 없더군요."
"주관자이시라구요? 그럼…"
"네, 맞아요. 이즈바스티나 재단의 이사장이 제 어머니세요."
"그렇다면…"

굴미라의 어머니인 칼리가 이즈바스티나 (Karlyga Izbastina)는 카자흐 대통령인 카심 조마르트 토카예프

(Kassym Jomart Tokaev)의 여동생이었고, 따라서 굴미라는 대통령의 조카였다. 사실 수현이 카자흐에 둥지를 틀게 된 것은 당시 상원의장이었던 토카예프 대통령의 도움이 컸다. 만약 수현이 카자흐스탄에 있는 것이 외부로 알려지면 한국은 물론 미.중과 같이 강한 나라들과 불편한 관계가 될 수 있음에도 불구하고 그는 수현이 알마티에 거처를 정하고 비즈니스를 할 수 있도록 지원을 아끼지 않았다.

"아, 외삼촌이랑 아는 사이시군요."
수현과 토카예프가 지인이라는 것을 들은 굴미라의 표정은 좀더 밝고 편안해 졌다.
"만약 저 그림을 사실 생각이 있다면…"
"아. 마음은 굴뚝같습니다만 알마티 시내에 있는 제 작은 아파트에 저 그림은 무리네요."

굴미라는 애시당초 수현의 답을 예상했다는 표정을 감추지 못하고 사과하는 듯한 미소를 지으며 말했다.

"저도 사실 거라 생각은 안 했어요. 그리고 저 개인적으로 그림이 좀 너무 외롭고 공허해서 싫어요."

수현도 살짝 미소 지었다.

"저 그림 속에 내가 있다고 생각하며 외롭던 참인데 같이
봐주고 말도 걸어주고 하셔서 좋았습니다. 아는 분의
가족이시라 반갑기도 했구요. 그럼 전 이만.."
"아 잠깐만요." 굴미라가 명함을 내밀며 더듬더듬 한국말로,
그러나 완벽한 존댓말로 말했다. "다음에 또 뵙겠습니다."
명함을 받아 든 수현의 표정에 놀란 기색을 보고 그녀는
웃으며 설명했다.
"케이팝을 좋아해서 잠깐 한글을 배운 적이 있어요. 간단한
인사 정도는 해요."
"그랬군요. 제 명함은 여기… 시내에 일보러 오시면 언제든
차 한잔 대접하겠습니다."

갑자기 조금, 아니 상당히 덜 외로운 마음이 된 채로
수현은 발길을 돌렸고, 굴미라는 다른 전시실로 향하는
그의 뒷모습이 출구 밖으로 사라질 때까지 물끄러미 쳐다
보고 있었다.

***

미술관에서의 짧은 조우 일주일 후에 먼저 연락한 것은
굴미라였고 두 사람은 케이블카로 3천미터가 넘는 콕토비
(Kok-Tobe) 언덕에 올라 알마티 시내를 내려다 보며 같이
와인을 마셨다. 수현은 자신이 60대의 서울 출신이며
아내와는 사별했음을 밝혔고, 놀랍게 굴미라도 남편과 외동
아들을 잃은 지 얼마 되지 않은 처지라고 했다.
그녀는 20대 초반에 이미 알마티 패션계를 주름잡는
모델이었다. 정부 고위관료, 후일 대통령의 조카라는 배경도
그렇지만, 동서양이 묘하게 섞인 마스크와 수줍으면서도
당당한 성격의 소유자로 사교계의 떠오르는 별이었다.
하지만 외삼촌의 중매로 당시 사십대의
올리가르히(Oligarch) 중 하나와 결혼을 하게 되었고 그
후로는 모델로써의 커리어도 사교계에서의 위치도
하루아침에 버리고 모범적인 무슬림 아내로서 살림과
육아에만 집중해 살아왔다.

"내가 선택한, 더욱이 사랑한 사람과 한 결혼은 아니었지만
아내와 엄마로써 자리매김 하는 게 나쁘지 않았어요. 남편과
정도 깊었고, 특히 결혼 3년만에 얻은 아들은 내 인생의
전부였죠. 근데…"

애시당초 굴미라에게 패션계든 사교계든 그런 식으로
모르는 사람들의 관심을 받는 일이 그렇게 중요한
것이었을까 수현은 생각해 봤다. 나아가 정말 중요한 한
명의 관심과 애정이 그녀에게는 더 소중한 것이 아니었을까
라고도. 어찌 보면 결혼이 그런 그녀의 갈증을 해소해 줬던
것일지도 모른다는 생각이 들었다. 죽은 아내가 자신에게서
너무 익숙하고 뻔한 삶으로부터의 탈출구를 찾았었다면,
굴미라는 죽은 남편에게서 시끄럽기만 하고 공허할 수 있는
생활로부터의 은신처를 구했을지도 모른다는..

굴미라가 마흔이 되던 해였다. 그녀의 생일을 축하하기 위해
남편은 터키 여행을 제안했고 당시 굴미라는 재단 행사에
참석한 뒤 두바이에서 터키항공(Turkish Air)으로, 그에
앞서서 남편과 아들은 알마티에서 자가용 비행기로 각자
출발하여 만나기로 했었는데 그녀가 이스탄불 공항에
도착했을 때 기대했던 바와 달리 부자는 기다리고 있지
않았다. 그리고 결국 영원히 도착하지 않았다. 사고였다.

"최근까지 삶의 이유를 찾지 못했어요. 한동안 자기 전에
거울 앞에서 수면제 약통을 들고서 이걸 다 삼켜버리고

죽어버릴까 생각하며 한참동안 나자신을 바라보는 게
일상이었던 적도 있었죠."

모든 상처엔 세월이 약이라고 사고 후 1년간을 그렇게
괴롭게 지내다가 그녀는 자신을 살리려는 노력의 일환으로
어머니가 제안한 대로 이즈바스틴(Izbastin) 재단의
기획관리업무를 시작했고 다행히 그 일이 재미없지 않아
상처가 조금씩 아물어 가던 참이었다.
미소를 잃지 않으려 애썼지만, 굴미라의 눈에는 눈물이
고였다. 그런 그녀를 바라보는 수현의 눈동자도 흔들렸다.

누가 먼저랄 것도 없이 두 사람은 손을 잡았고 그런 상태로
말없이 한참동안 서로의 눈을 응시했다. "뭔가 말하고
싶은데 굴미라가 나와 몇시간이고 같이 있고 싶어지게 만들
뭔가를 얘기하고 싶은데 딱히 생각나는 스토리가 없네요."
"그 말씀이 저를 기분 좋게 만드네요." 웬만한
플러팅(Flirting)은 등짝 한가운데 떨어진 물방울 하나처럼
대수롭지 않을 거라 생각했는데 그녀의 상기된 얼굴은
아니라고 이야기하고 있었다.
"나한테 일어나는 불운은 얼마든지 견딜 수 있을 것 같은데
나 때문에 다른 사람이 겪어야 하는 불행은 점점 더

견디기가 힘들어집니다. 오늘 굴미라를 두번째 보면서 벌써 나 때문에 당신이 힘들어지게 되는 건 아닌지 그래서 아예 가까워져서는 안되는 거 아닌지 생각한다는 게 좀 오버인 것 같기는 하지만…" 방백처럼 언덕 아래 알마티 불빛을 바라보며 나지막이 속삭이듯 이야기하던 수현이 다시 굴미라의 얼굴을 봤을 때 그와 같은 방향을 바라보던 그녀도 얼굴을 돌렸다. 그녀의 눈에서 방금까지 수현이 바라보던 불빛이 담긴 눈물 방울이 떨어졌다.

"좀 힘들어질래요. 다시 불행해져도 괜찮을 거란 생각이 들어요. 만약 선생님이 제 걱정에 돌아서 버리신다면 그거야말로 못 견딜 일일테니까요."

두 사람은 어느새 끌어안고 있었고, 하나의 큰 돌을 쪼아 만든, 로댕의 '키스'처럼, 절대 떼어놓을 수 없을 것 같은 모습으로 한참동안 움직이지 않았다.

나이차이가 부담스러운 것은 사실이었지만, 두 사람이 서로의 상처에 공감하며 위로해 줄 수 있어 그 부담이 극복될 수 있다는 걸 확인했던 밤이었고, 만남은 계속 이어졌다.

***

D-14, 알마티 근교 쉼불락(Shymbulak) 스키 리조트 카페

방금 전 이찬 장군의 제안은 적어도 반은 사실인 것 같았다.
즉 수현같은 사람의 역할이 필요하다는 것. 반면 나머지 반,
그러니까 그 역할을 해 주면 수현이 원하는 걸
들어주겠다는 건 반드시 지켜지지 않을 수도 있었다. 하지만
자신이 돈을 찾아내면 그걸로 원하는 걸 관철시킬 수도
있지 않겠는가?

이찬이 제안한 과업을 수행하기 위해서 그가 먼저 해야 할
일이 있었다. 그건 토카예프를 만나는 것이었다. 수현도
어느정도 맨파워(Man power)는 보유하고 있었지만 카자흐
영토에서 대한민국의 외교관을 상대로 작전을 펼칠 수 있는
정도는 아니었고 더욱이 권한은 아예 없었기 때문에 그걸
얻어내기 위해서는 그의 도움이 필수적이었지만 대통령을
은밀히 독대한다는 것은 불가능에 가까운 일이었고
무엇보다 시국이 너무나 어수선해서 그에게 마음의 여유가
있을지 조차 알 수 없는 일이었다. 토카예프가 수현을

여러모로 돕고 있고 표면적으로 어느 정도 우호적인 입장을 취하고 있는 건 분명한 사실이었지만 그렇다고 수현이 그에게 뭔가 직접적으로 부탁할 수 있느냐는 것은 전혀 다른 문제이기도 했다.

"굴미라, 한가지 부탁이 있어요."

수현의 갑작스러운 한국어와 변화한 톤에 당황하면서도 그녀는 부드럽게 답했다.

"뭐든 내가 할 수 있는 일이라면."
"다음주에 어머님의 생신 잔치가 있는 걸로 알고 있는데…"
긍정의 뜻으로 고개를 끄덕거리는 그녀가 뭔가 말하기 전에 수현은 이어서 말했다.
"나를 좀 데려가 줄 수 있겠어?"
"그럼요. 난 좋아요. 근데…"

굴미라가 반문하려는 것이 뭔지 수현은 이미 알고 있었다. 두 사람이 친해지면서 부터 기회가 있을 때마다 굴미라는 적극적으로 어머니를 비롯한 자신의 주변인물들에게 수현을 소개 시켜주려 했지만 그가 고집스럽게 고사해 왔다. 그녀는

약간 섭섭함을 느끼기도 했지만 수현 입장에서 자신의
국적이 다르다거나 나이차가 많이 난다거나 하는 부분에
대해 자격지심이 있을 수 있다고 이해하고 있었던 것
같은데 갑자기 그가 대통령인 외삼촌도 참석하는 행사에
나가겠다고 하니 갑작스럽고 의아할 수 밖에 없었던 것이다.

하지만 수현이 굴미라에게 이야기할 수 없는 두가지가
있었다.

첫번째는 토카예프가 수현을 돕고 있는 것이 오랜 인연이나
더구나 개인적인 호감 때문이라기 보다 후자가 전자의
치명적인 비밀을 알고 있기 때문이라는 것. 따라서
토카예프가 수현과의 어떠한 직간접적 접촉도 불편해 할
것이라는 것.
두번째는 그렇기 때문에, 수현에게 필요한 토카예프의 시간
5분을 얻어내기 위해서, 공식적으로는 조카,
비공식적으로는 고려인 정부와 사이에 낳은 친 딸인
굴미라와 함께 나타나는 정도 제스처는 필요하다고
생각했다는 것이었다.

2장

D-7 아스타나 대통령궁

두 명의 중년남자가 담담하게 TV에서 알마티 시청이
불타고 있는 것을 보고 있었다. 마주한 두 사람 사이에 있는
테이블 위에는 거의 손대지 않은 채로 차가와진 차 두 잔과
과자들이 은쟁반 위에 놓여있었고, 그 옆으로는 꽁초로
가득해 곧 쪼개질 듯한 크리스탈 재떨이가 있었다.

"각하, 이건 음모입니다. 두 도시는 3,000킬로미터 가까이
떨어져 있습니다. 악타우(Актау)에서 촉발된 시위가 거의
동시다발적으로 알마티에서 일어났다는 것, 또 알마티
안에서는 주요 관청들을 노리는 무장 시위대가 나타났다는
것 모두 사전에 치밀하게 계획되었다는 반증입니다."

각하라 불린 사람은 대통령 카심조마르트 토카예프였고,
이야기하고 있는 사람은 대통령 직속 국가안전국 (State
Security Service) 국장 예르멕 사짐바예프 (Yermek

Sagimbayev)였다. 전자는 묵묵히 후자의 이야기를 듣고 있었다.

"'음모'라면 국장 생각에는 누가 뒤에 있는 것 같소?"
" ... "

사짐바예프는 자신의 생각을 입밖으로 내야 할 지 망설이고 있었다. 그가 누구를 생각하는지 대통령은 이미 알고 있다는 것을 알고 있었지만, 여전히 입에 올리기 두려운 이름이었기 때문이었다. 그리고 토카예프는 그런 그의 두려움을 안다는 듯 보일 듯 말듯 미소를 지었다.

새해가 밝자마자 카자흐 정부는 액화가스 가격 인상을 발표했고 남서부인 카스피해 인근 도시 악타우와 자나오젠(Жаңаөзен)에서부터 시작된 시위는 삽시간에 카자흐 최대도시인 알마티에까지 번졌다. 분노한 시민들은 거리에 나와 가스가격 인상에 대한 불만 뿐 아니라 지방자치단체장 직선과 같은 정치적인 구호까지 외치기 시작했고, 그들 중 일부는 경찰서, 시청과 같은 주요 관청과 기반시설들을 파괴하거나 점거했다. 물론 주로 경찰과 국가안전국(State security service)으로 구성된 치안당국이

이를 진압하고 탈환하려 개입하긴 했지만 그 과정에서 상당히 많은 부상자와 사망자가 나오면서 상황은 악화일로였다.

토카예프는 사짐바예프가 차마 입에 올리지 못한 그 사람에 대한 자신의 계획을 얘기했다. 후자는 그냥 외교통에 전문관료 출신이라고만 생각해 왔던 자신의 상관이 그 정도의 계략과 배짱을 가지고 있다는데 놀랐는데, 이어서 한 이야기는 그를 더 놀라게 했다.

"당신이 날 좀 도와줘야겠소. 그러니까 … "

***

같은 시각 아스타나 나자르바예프(Nazarbayev) 사저

"ұлт атасы (ult atası, 國父), 시위는 계획대로 진행 중입니다. 의회는 국부님의 손아귀에, 정보부는 이미 제 주머니 안에 있고 하루이틀 내로 국가안전국장, 대통령 순으로 국가반역죄를 적용해서 긴급 체포를… "
"저건 뭐지?"

"네? 저건…"

국부라고 불린 자는 전 대통령 누르술탄 나자르바예프 (Nursultan Nazarbayev)였고, 국부라고 부른 자는 국가안보위원회 (National Security Committee, 구소련방 시절 KGB로 카자흐에서는 'KNB'라고도 부른다) 의장이자 오른팔인 카림 막시모프(Karim Massimov)였다. 그들은 CNN에 보도되고 있는 알마티의 시위 영상을 보고 있었는데 카메라는 대학생인 듯한 젊은 여성이 들고 있는 피켓을 비추고 있었다.

'кария шетке кетуі керек! (qarïya şetke ketwi kerek!)'

막시모프는 차마 그 말을 입 밖에 내지 못했다. 감히 나자르바예프 앞에서 꺼내기조차 송구스러운 말이기 때문이기도 했지만 그보다 계획대로 진행되던 시위의 일부가 아니었기에 그 구호가 나오게 된 배경에 대해 설명할 수 없었기 때문이다.

'노인은 물러가라…'

'91년 독립 이후 30년 가까이 카자흐스탄을 통치해 온 나자르바예프는 81세였다. 원래 조국을 위해 종신 봉사하리라 결심했었지만 2010년대말 시작된 불황과 개인적인 건강이슈로 자신의 뜻을 가장 잘 계승할 거라 믿은 토카예프에게 정권을 물려줬었다. 하지만 경제문제는 악화일로를 걸었고 자신을 계승하기는 커녕 자신의 레거시(legacy)를 차근차근 걷어내려는 후자의 모습에 그는 불안감을 느껴왔고, 국내 여론이 최악의 상황에 달하게 되자 이제 토카예프를 희생양으로 삼으려 하고 있었다. 막시모프를 통해 KNB를 장악하고 있기에 토카예프를 흔드는 건 너무나 쉬운 일이었다. 쥐도 새도 모르게 죽여버릴 수도 있었지만 여론도 여론이고 호시탐탐 영향력을 강화하려 자신의 약점을 노리는 러시아 때문에 좀더 교묘한 수단이 필요했고 그는 시민혁명을 통해 현 정부를 전복시키고 보다 자신의 말을 잘 듣는 꼭두각시 정권을 세우려고 했다. 하지만 토카예프 정권의 대응이 생각보다 빠르고 단호했고 무엇보다 세계 9위의 광활한 국토에 인구는 2천만도 되지 않는 카자흐스탄에서 홍콩의 우산혁명이나 서울의 촛불혁명 스타일의 시민봉기는 쉬운 일이 아니었다. 게다가 시위의 성격이 반토카예프가 아닌 반나자르바예프로 변질되려는 조짐까지 보였는데 이것이 자신의 지시를 따르는 막시모프가 사주한 세력에 의한 것이 아님은 막시모프 본인의 표정에서부터 명백해 보였다.

"각하, 사실 문제가 하나 있습니다." 어렵게 꺼낸 막시모프의 말에 나자르바예프는 예상하고 있었다는 듯 반응했다.
"러시아?"

언젠가부터 나자르바예프의 독자외교노선은 러시아에게 경계의 대상이었다. 푸틴이 2014년에 우크라이나의 크리미아를 복속시킨 것이 모든 구소연방 독립국가들에 대한 러시아의 경고였다고 보면 카자흐스탄도 예외일 수 없었다. 이런 상황에서 주니어 시절부터 외교통으로 성장해 온 토카예프가 자신을 썩 탐탁치 않게 보아왔던 러시아를 등에 업고 자신에게 역습을 가할 가능성도 배제할 수는 없었던 것이다.

"타임라인을 현재의 반으로 축소해야겠네. 군과 경찰이 시위에 동조하도록 하게."

***

미팅이 끝나고 사무실로 돌아오는 길에 막시모프는 머리가 아팠다. 나자르바예프의 '타임라인'의 출발점은 대통령과 경호실장에 해당하는 국가안전국장을 체포하거나 사살하는 것이었는데 그 날 TV에서 본 반나자르바예프 시위대의 모습으로 보아 토카예프 쪽에서 뭔가 낌새를 알아채고 벌써 대응조치를 취하고 있음에 틀림없었고 따라서 자신도 즉각적으로 움직여야만 했기 때문이었다.

집무실 금고 안의 발터 (Walther) 권총을 생각하며 그는 손님이 기다린다는 여비서의 말도 듣는 듯 마는 듯하며 집무실로 들어갔다. 만약 그녀의 얼굴표정을 봤다면 어쩌면 그는 바로 뒤로 돌아, 왔던 길을 되짚어 꽁지가 빠지게 도망쳤을지도 모를 일이었다.

"의장 동지, 얼마나 수고가 많습니까?"

문을 열고 들어가자마자 마치 자신이 방의 주인인 듯 막시모프를 맞이하는 토카예프의 목소리는 긴박한 상황에 어울리지 않게 밝고 기운찼다.

"카심…아 아니, 각하, 어쩐 일이십니까?" 당황한 나머지
옛날처럼 대통령의 이름을 불러버린 정보부 수장에게
괜찮다는 의미로 고개를 까딱하며 씨익 웃어보인 대통령은
이야기를 계속했다.
"국가가 위기에 처했는데 바쁜 의장 동지를 오시라고 하는
건 예의도 아니고 무엇보다 효율이 떨어지는
일이라…심난해서 친구와 오랜만에 차나 한잔 하고 싶기도
했구요."

그는 미소를 띠며 이야기했지만 막시모프는 옅은 색
선글라스 뒤에 가려진 그의 눈빛이 전에 없이 형형함에
불안해졌다.

"아..무…물론." KNB 의장은 비서에게 차를 부탁한 후,
접견테이블에서 대통령에게 상석을 권했지만 후자는 그냥
서있겠다고 했고, 자신만 앉을 수 없어서 그도 어정쩡하게
서 있었다.

"외부미팅이 있었나 봅니다."
"네, 어떻게든 날로 심해지는 시위를 좀 진정시켜
보려고…"

"그래, 어르신의 조언이 도움이 좀 되던가요?"
"네? 무슨 말씀이신지…"

막시모프는 토카예프의 눈빛에 자신의 얼굴이 뚫리기라도
한 듯 이마와 뺨에 통증까지 느꼈다.

"의장 동지, 지금의 이 상황이 이해가 되시오?"
"그…그건…"

토카예프는 손을 들어 막시모프의 말을 막으며 방금 전
던진 질문이 답을 요구하는 것이 아니라는 뜻을 표했다.

"난 말이오, 2년간 지속적으로 어려워지는 경제적 형편을
견뎌내고서 이 엄동설한에 갑자기 가스가격을 올렸던 일,
또 거기에 대한 불만에 거리로 뛰쳐 나간 시민들, 그리고
지난 30년간 그렇게 일사불란하게 정권을 지켜온 군과
정보부가 갑자기 요지부동이 된 것, 모두 참
자연스러우면서도 부자연스럽게 느껴지는데…"
"각하, 저희 KNB의 대응이 늦게 시작되었던 건 변명의
여지없이 제 불찰입니다. 하지만 주로 생활고때문에 거리로
나선 자들의 시위는 다소 과격화 될 수는 있다 하더라도

조직적이거나 계획적이지 못해 곧 지리멸렬할 겁니다.
더욱이 각하께서 그들을 '폭도'로 규정하며 질서회복에 대한
결연한 의지를 표명하신 후, 기가 꺾여 겁을 먹고 주춤하는
모습이 여기저기서 보입니다."

"그들은 … 폭도가 아니오."

"네?!"

"'질서회복에 대한 결연한 의지'는 맞소만 그들은 폭도가
아니라 사실상 민주화투사들이오."

"그게 무슨 말씀이신지…"

"지난 30년간 '노인네'가 잘 한 일도 많지만 그 오랜 시간
동안 헤게모니를 유지하느라 잘못한 일도 많소. 밖에서는
우리나라 부의 80%가 160명의 소수에게 집중되어 있다고
한다지요? 거의 모두 노인네 식구들 아니오? 그렇게
30년을 해먹고도 모자라 군에, 정보부에 아직도 권력의
손잡이를 전혀 놓고 있지 않으니 저들이 길바닥에 나올
만도 하지 않소?"

막시모프는 어느새 자신의 손이 떨리고 있음을 깨달았다.
'감히 국부님을… 저 자가 대체 무슨 맘을 먹고 저런
소리를…' 아무리 대통령이라 해도 옛날로 말하면 KGB의
수장인 자신에게 그렇게 이야기할 수는 없는 거였다. 더욱이

그 '160 명' 중 친족과 사돈 포함해 10 명 가까운 자들의
이름을 올린 장본인이. 그의 떨림은 자신의 기습대상인
대통령의 깜짝 방문으로 인한 불안이기도 했지만
배은망덕한 옛 동료에 대한 분노이기도 했다. 그리고
막시모프가 뭔가 되받아 치려 할 때였다. 노크 소리가
들렸다.

'대통령과 국가안보위 의장이 미팅을 하고 있는데?' 이내
문이 열리고 사짐바예프가 들어왔다. 펄펄 끓는 용암을 삼킨
듯한 표정으로 막시모프는 토카예프를 바라봤다. 두가지가
막시모프를 놀라게 했는데 첫째, 자신이 알기로
사짐바예프는 투스타였는데 쓰리스타 계급장을 단 정복
차림이었고, 둘째, 더 놀라운 것은 그의 오른손에 자신의
발터가 들려 있기 때문이었다.

"자⋯자네가?"
"의장 동지, 안녕하십니까?" 사짐바예프는 말했고 이어진
대통령의 말에 막시모프는 자신의 불길함이 정체를
드러냈음을 느꼈다.
"그동안 고생이 많으셨는데 이제 좀 쉬시도록 하는게
예의인 것 같소. 카림, 이제 다 내려놓고 은퇴하면
어떻겠소?"

막시모프는 자신의 명령 하나면 상대가 누구든 제압하고
자신을 구할 수십명의 KNB 요원들을 생각했다. 하지만
사짐바예프가 이미 오래 전에 그들을 무력화시켰음에
틀림없었다. 막시모프는 토카예프를 한번 더 바라본 뒤
말없이 사짐바예프의 총구를 따라 사무실 밖으로 나갔다.

***

D-6 어느 카스피해 연안 도시

연행된 막시모프가 아스타나 대통령궁 지하 벙커로 향하고
있을 때, 나자르바예프는 이미 이동 중이었다.

"아빠, 이게 대체 무슨 일이에요?" 큰 딸이자 카자흐
하원의원인 다리가(Dariga)는 아버지가 자신을 갑자기
이름도 처음 듣는 국경도시로 호출하더니 다짜고짜 그의
요트에 태우고 핵심적인 한두명의 스태프(Staff)를 제외한
모든 부하들을 내쫓은 다음 바다로 나가자 걱정스런
목소리로 물었다. 아버지의 '계획'을 구체적으로 아는 것은

아니었지만, 혼란스러운 정국과 과격 시위가 그와 무관하지
않음을 어느 정도 감지하고 있던 참이긴 했다.

"토카예프, 그 뱀 같은 놈한테 당한 것 같다."
나자르바예프는 이를 악문 채 답했다.

막시모프는 두뇌회전이 빠르고 무엇보다 충성스럽긴 했지만
필요한 '실전경험'이 없기에 막상 행동이 필요할 때는
우유부단 한 것이 흠이었다. 그리고 지금은 약간의 주저함도
치명적인 결과를 나을 수 있는 시기였다. 그래서 그와의
미팅 직후, 대통령과 국가안전국장의 신병을 확보하든 못
하든, 잠시 카자흐스탄을 떠나 있는 것이 좋으리라
판단했던 것이다.

나자르바예프는 큰 딸과 함께 카스피해를 건너
아제르바이잔으로 갈 생각이었다. 일단 아제르바이잔
바쿠까지 갈 수 있다면 터키 이스탄불을 거쳐 막내 딸이
있는 아랍 에미레이트로 도피할 수 있을 것이었다.

3장

D-Day 알마티 대한민국 총영사관 부근

"мақсат қозғалуда (maqsat qozğalwda, 타깃 이동 개시.)"

망원 렌즈와 드론 카메라에 동시에 잡힌 타깃(Target)은 'RoK Diplomatic Cargo'라 표시된 검은색 패널 밴이었다. 현대의 대형 밴 H350에 적재함 문에는 봉인이 되어있고 겉으로 잘 드러나지는 않지만 방탄유리와 방탄타이어는 물론 천정 쪽으로 공간도 확장되고 경장갑처리까지 되어있는지 육중해 보였다.

감시팀은 이틀 전부터 대한민국 총영사관을 24시간 밀착감시해 왔고 약 40시간만에 표적 차량의 수상한 움직임을 감지했던 것이었다.

감시팀의 무전을 받은 사내는 포드 엑스퍼디션(Expedition) SUV 조수석에 앉아있었다. 기모가 들어있는 듯한 질긴 재질의 카키색 바지와 모자가 달린 검은색 싸구려 패딩을 입고, 때가 잔뜩 묻어 있어 갈색처럼 보이는 호박색 비니를

쓰고 있는 그의 얼굴은 러시아계 혈통이 섞인 듯 흰
피부였지만 쌍꺼풀 없는 눈, 둥그런 턱과 뭔가 두드러진
매부리코로 보아 카자흐인의 그것이 아닐 수 없었다.

"Барайық! (Barayiq!, 가자!)"

운전석에 앉은 부하에게 차량의 이동을 지시하면서, 그는
'손님'이 제시했던 시나리오 중 하나가 적중했음을 깨달았고
작전 개시를 알렸다. 예상대로 밴은 영사관 정면인
칼데이야코프(Kaldayakov)가 아닌, 뒤편인
압둘리니(Abdulliny)가 쪽 출구로 빠져나오고 있었다.
그리고 이내 방향을 왼쪽으로 돌려 톨레비(Tole Bi)가 쪽을
향했다.

'공항 쪽이다'

대담하게도 합법적으로 항공편을 통해 국경을 넘으려 하는
것이었다. 카자흐 정부에서 정식 수교국의 외교화물에 손을
댈 수는 없을 테니 어찌 보면 가장 안전하고 확실한
방법이었다.

***

'으응? 이런 곳에 데모대가?'

제갈성은 신호 대기 중 한 블럭 앞, 톨레비가와 케어비코프(Kairbekov)가가 만나는 지점에서 길 양쪽으로 부터 시위 군중들이 몰려나오는 것을 보고 있었다. 자신의 차량은 공항을 향하고 있었기에 시 외곽 쪽으로 가고 있었는데 시내에서 관청과 주요 도로를 점거하고 있어야 할 사람들이 몰려나오니 이상한 일이었다. 차를 돌릴 방법이 없을까 해서 백미러를 봤더니 방금 자신이 우회전하여 빠져나온 곳, 압둘리니와 톨레비가 만나는 지점에서도 이미 군중들이 몰려나와 길을 막고 있었다. 그리고 다시 앞을 봤을 때 어느새 군중들이 100미터 전방으로 다가와 있었다.

'노인은 물러가라!'

그들이 들고 있는 플래카드와 피켓에 쓰여 있는 문구였다.

"이런 씨발!"

운전대를 잡은 카자흐인 기사는 평소와 180도 다른 제갈의 말투와 텐션에 흠칫 놀랐다. 한국인 고용주들이 말뜻을 설명해 준 적은 없었지만 그는 바보가 아니었고, 더욱이 촉박한 비행기 시간을 맞추기 위해 전속력으로 통과해야 할 길을 막고 있는 시위대의 모습에 자신도 카자흐어로 비슷한 뜻의 욕설을 내뱉었다.

급한 맘에 제갈성은 조수석에서 운전석 쪽으로 몸을 기울여 경적을 울렸다. 하지만 시위대는 아랑곳 않고 밴을 향해 다가왔다. 한두올씩 날리던 눈발은 어느새 폭설에 가깝게 쏟아지고 있었는데 그 사이로 전방에서 차를 막고 있는 시위대의 이상한 점이 한두가지씩 그의 눈에 들어오기 시작했다. 좁은 길을 가득 채우고 있는 사람들은 일단 모두 남성에 젊은이들이었는데 '노인은…' 플래카드를 들고 있는 두 사람 사이에 서너 명 정도가 모두 두 손을 플래카드 뒤로 안보이게 감추고 있었고 그 뒤로 너댓 명은 들고 있던 피켓을 서서히 내리는 중이었다.

'함정이다!'

저도 모르게 소리치며 제갈은 기사에게 후진을 명령했다. 하지만 후진기어를 넣자 들어온 후방모니터에는 뒤를 막고 있는 시위대의 모습이 들어있었고 그들의 손에는 AK 소총이나 권총이 들려 있었다. 그리고 제갈이 정면돌파를 생각하고 눈을 들었을 때 방금 전 손을 플래카드 뒤로 손을 감추고 있던 시위대의 손에는 마찬가지로 소총과 권총이, 피켓을 내리던 자들 중 한 명의 손에는 RPG(Rocket Propelled Grenade)까지 보였다.

제갈과 운전수는 차를 멈춘 뒤 손을 들었다.

2인 1조 두 개조가 각각 운전석과 조수석의 문을 열고 두 사람을 끌어냈다. 두 명은 각각 제갈과 운전수를 총으로 위협하여 길 옆으로 데리고 가고 남은 두 명은 열려있는 문을 통해 동시에 운전석과 조수석으로 들어갔다. 같은 패거리인 듯한 자들이 두 명 더 나타나 총구 앞에 서있는 제갈과 운전수의 몸을 수색했다.

"Я корейский дипломат. Ты хоть знаешь, что делаешь? (YA koreyskiy diplomat. Ty khot' znayesh', chto delayesh'?, 나…난, 대한민국 외교관이야. 니들 지금 무슨 짓을 하고 있는지 알아?)"

제갈은 의미 없는 줄 알면서도 이제 시위대가 아닌 것이 분명한 상대방에 대한 정보를 최대한 수집하기 위해 일부러 러시아어로 소리쳐 말을 걸었다. 조수석 문을 닫으려던 자가 항변하는 제갈을 봤고, 보일 듯 말듯 미소 지으며 제갈의 등에 AK 를 겨누고 있는 부하에게 눈짓했다. 후자는 개머리판으로 제갈의 후두부를 가격했고 그는 그 자리에서 정신을 잃고 쓰러졌다. 그걸 보고 카자흐인 운전수는 알아서 땅에 엎드렸다.

"Барайық! (Barayiq!, 가자!)"

조수석 문을 닫고 들어온 매부리코의 지시로 밴은 다시 움직이기 시작했고 앞뒤를 막고 있던 시위대는 거짓말같이 길 양 옆으로 사라졌다. 밴은 우회전 하여 케어비코프가를 타고 보겐바이바티르(Bogenbai Batyr)가를 향했다.

***

같은 시각, 알마티 대한민국 총영사관 부근 한 병원

"저거이 뭐이지?"

대한민국 외교화물 밴이 카자흐 시위대에 의해 멈추기 몇
분 전. 한 사내가 부근에서 가장 높은 건물인,
압둘리니.톨레비.케어비코프 거리를 모두 내려다 볼 수
있는, 에코누레이(Eko Nuray) 병원 건물 옥상에서
쌍안경으로 시위대가 톨레비가로 향하는 모습을 보면서
억양 있는 한국어로 말하고 있었다. 50 대 후반으로 보이는
사내는 회색 바지 - 네이비 색 자켓 콤비, 그리고 검은색
캐시미어 코트 차림이었고 170 Cm - 60 Kg 쯤 되어 보이는
몸집은 다소 왜소했지만 각지고 강인해 보이는 턱과
도드라진 광대뼈, 무엇보다 소낙눈 속에서도 모든 상황을
정확하게 꿰뚫어 보고 있는 듯 두꺼운 뿔테 안경 뒤의
날카로운 눈빛때문에 무시할 수 없는 존재감이 있었다. 다만
뿜어내는 기운은 왠지 어두운 데가 있었다.

멀리서 보면 살짝 미친 사람처럼 혼자 말하고 있었지만
자세히 보면 그의 귀에 꽂혀 있는 이어셋으로 보고받고
지시하는 중이었다.

"시위대인 듯한데 좀 이상합네다."

이내 그 이어셋으로 다른 사내의 음성이 들려왔는데,
화자(話者)는 톨레비와 압둘리니가가 만나는 지점 한
구석에 주차되어 있는 토요타(Toyota) 랜드크루저(Land
Cruiser) SUV 차량 안 조수석에 앉아있었다. 옥상 위
사내에 비해 20년 정도 젊고, 15 Cm 는 더 크고, 20 Kg
이상 더 나갈 듯한 근육질에 위장무늬의 카키색 위 아래를
입고 있는 것으로 보아, 굳이 누군가 설명해 주지 않더라도,
옥상 위 사내가 머리와 말로 먹고 사는 '관리자'라면,
몸으로 때워야 하는 '실무자'임에 분명했다. 긴장감 있는
체격과 프로페셔널한 복장이 둥그렇고 벌건 얼굴에 순박해
보이는 인상과 대비됐다.
같은 차 안에 그를 포함해 네 명의 사내가 앉아 있었는데
모두 아시아 계임에 틀림없었지만 얼굴의 특징으로 보아
모두 같은 국적은 아닌 듯했다. 방금 옥상 위 사내와 교신한
자는 억양은 있지만 한반도 사람이었다. 2~3분 정도
지났을까 시위대가 검은 밴을 둘러쌌다.

"저거 총 아이야? 육안으로 확인하고 보고 하라."

"소총과 권총 맞습네다. 것두 아주 많습메. 시위대가 갑자기
폭도로 돌변해서리 차를 빼앗을 모양입네다."

SUV 안의 한국인은 상황을 좀더 자세히 파악하려는 듯
소총 스코프같이 생긴 물건으로 외교화물 밴 쪽을 보며
말했고 나머지 세 명은 각각 접절식 (접거나 펼 수 있는)
개머리판이 달린 AK 소총을 들고 안전스위치 푼 다음
장전손잡이를 당겼다.

"개입하갔습다."
"잠깐! 대기하라우. 저것들 데모대 아이야."

어느새 체고제 CZ75 혹은 북한제 백두산처럼 보이는
권총을 꺼내 든 SUV 안 실무자는 옥상 위 관리자의 지시에
따랐다. 일반 시민과 학생들로 구성된 시위 군중이라고
하기에 검은색 밴을 둘러싸고 있는 자들의 움직임이 너무
민첩하고, 반복적으로 훈련된 듯 일사불란한데다 무기를
들고 있는 자세라든가 다루는 모습이 너무 능숙했기
때문이다. 그의 눈 앞에 눈 깜짝할 새 네 명의 시위대가
차를 빼앗고 운전수와 탑승자를 제압하는 광경이 벌어졌다.

"차장 동지, 어드러케 할까요? 더 지체하면 우리 목표물 빼앗김메."

옥상 위 사내는 5초간 정도 고민하다가 SUV 사내에게 지시를 내렸다.

"상대의 정체도 모르고 잠재적으로 수가 너무 많아. 일단 정찰조를 시켜 어디로 가는지만 확인하라."

SUV 실무자가 이어셋에 중국어로 뭔가 지시하자 스쿠터 한 대와 전동킥보드 한 대가 각각 톨레비가와 케어비코프가에 나타났고 시위대를 가장한 괴한들의 카잭킹 (Carjacking) 후 이내 움직이기 시작한 검은색 밴을 뒤쫓기 시작했다. 세차게 내리는 눈 덕에 미행이 들통날 우려는 적었다.

"쌍간나 새끼들!"

가속도를 내기 시작한 밴을 전속력으로 쫓는 킥보드와 그 뒤를 따르는 스쿠터를 보면서 소리친 옥상 위 사내는 북한 정찰총국 차장 리정국이었고 압둘리니가에서 보겐바이바티르가 쪽으로 향하고 있는 SUV 안 사내는 북한

경보병 특작부대 출신, 정찰총국 블랙요원인 견명철이었다. 같은 차 안의 세 명과 차 밖의 킥보드, 스쿠터 두 명은 모두 중국 민간군사기업 (Private Military Company, PMC)인 '항주무역공사' 소속 요원들이었다.

마침 검은 밴은 보겐바이티르와 칼데이야코프가 만나는 지점에서 신호에 걸렸고 견명철의 눈에는 스쿠터에 타고 있는 항주 요원들의 리더, 쟝루(江路)가 밴 뒤쪽에 몰래 추적기를 부착하는 모습이 보였다. 명철은 정국에게 상황을 보고했고 후자는 전자에게 일단 자신이 있는 병원으로 올 것을 명령했다. 밴 안에는 두 명 뿐이었지만 차를 탈취할 때 동원되었던 시위대는 적어도 여섯 명이 넘었기에 분명 밴 뒤에는 지원 병력이 있을 것이고 그들이 만에 하나 카자흐 정부와 관련되어 있는 자들이라면 섣불리 교전해서는 안될 것이기 때문이었다.

위대한 '위원장' 동지의 지령이 떨어진 것은 남한에서 대선이 벌어지기 직전의 일이었다. 남한의 선명훈이 위원장에게 '인민의 돈'을 약속하며 협조를 요청해서 지난 5년간 북이 남에 유화적인 제스처를 취하도록 해 놓고서는 이제 정권을 빼앗기게 생겼으니 약속을 못 지킬 것이라는

것이 명령의 배경이었고 그 돈을 모두 '찾아오라'는 것이
내용이었다. 당시 중요한 과업 하나를 실패하고 CIA 와
무엇보다 자신의 조직의 추적을 피해 키르기즈스탄에
은신해 있던 정국은 '마지막 기회'이자 평양으로 들어가는
티켓으로써 이 새로운 과업의 수행을 위해 카자흐 내
고려인 커뮤니티와의 행사를 빌미로 알마티에 들어와, 다른
루트로 들어온 명철과 항주무역공사와 랑데뷰했고 일주일
전부터 남한 영사관 근처를 지키며 이 '공작'을 계획했었다.

***

대한민국의 외교화물이었던 검은색 밴은 칼데이야코프가를
따라 남쪽으로 진행하고 있었고, 그 뒤를 카잭(Car jack)
현장으로부터 다른 길로 우회하여 온 포드 엑스퍼디션
(Expedition) SUV 하나가 따르고 있었다. 길 이름이
칼데이야코프에서 카르미소바(Karmysova)로 바뀌면서
어느덧 우측으로 말라야알마팅카 (Malaya Almatinka)
강이 흐르고 있었다.

"Пакет қорғалған (Paket qorğalğan, 목표물 확보.)"

무전기를 통한 매부리코의 보고가 끝날 무렵 밴은
우회전하여 샛파예프(Satpaev)가에 들어섰고, 7~8분 후
좌회전하여 젤톡산(Zheltoksan)가를 타고 있었다. 포드도
그 뒤를 따랐다. 밴과 SUV는 다시 방향을 바꾸어
티미르야제프(Timiryazev)가로 들어섰고 길 왼쪽으로는
리포야바(Lipoyava) 분수가, 오른쪽으로는 대통령
공원(Park Of The Foundation Of The First President Of
The Republic Of Kazakhstan)의 숲이 보였다.

어느새 눈은 그치고 두 대의 차량은 로뎅의 지옥문을
연상케 하는 거대한 철제 게이트를 통과하여, 어둠을 뒤로
하고, 알마티 대통령 관저의 지하 주차장으로 들어가고
있었다.

***

D-2 알마티 교외 이즈바스틴(Izbastin) 재단 사옥

대통령의 여동생일 뿐 아니라, 알마티 정가에 가장 영향력
있는 이즈바스틴(Izbastin) 재단의 이사장인, 칼리가
이즈바스티나 (Karlyga Izbastina)의 생일 잔치에는 웬만한

영화제 시상식을 방불케 할 정도로 사람이 많았다. 파티
장소는 재단 건물의 옥상이었고, 주변이 숲으로 둘러싸여
한적하고 아름다운 곳이었다. 손님들은 보안검색이 끝나면
검색대 바로 앞에 있는 엘리베이터를 타고 옥상으로 바로
올라가게 되어 있었는데, 국가안전국(State Security
Service)의 철통 같은 경비를 통과한 사람들이니 어쩌면
카자흐 국부(國富)의 80%를 소유하고 있다는 그 160명 중
이미 체포되었거나 도피 중인 나자르바예프의 측근을
제외한 사람들이 다 왔음에 틀림없다고 수현은 생각했다.

그렇지 않아도 넓은 옥상은 잔디가 깔려 있고 정원이 잘
가꾸어져 있어 건물이 기대어 있는 뒷산과 한 공간처럼
보였다. 봄이나 여름이라면 가든파티(Garden party)를
열었겠지만 겨울이라 그 공간을 다 덮는 거대한 흰색
텐트를 설치해 놓았다. 엘리베이터에서 내리면 텐트 입구에
손님들의 테이블을 확인해 주는 안내자들이 있었고 텐트
안으로 들어가면 가로 네 줄 세로 다섯줄의 8인용 원형
테이블이 설치되어 있었다. 그 끝에는 무대가 세팅되어 이미
밴드가 존 콜트레인(John Coltrane)의 'Say it' 같은
슬로우 템포의 부드러운 재즈곡을 연주하고 있었고
좌측으로 호스트인 칼리가와 그 남편 테미르타이

(Temirtai), 딸인 굴미라, 조카이자 토카예프 대통령의
아들인 티무르 (Timur Tokaev)가 서 있었다. 멀리서도
금방 자신의 테이블로 안내 받은 수현을 알아본 굴미라는
그에게로 달려왔다. 요란한 이브닝드레스에 밍크코트를 차려
입고 같은 동물의 가죽으로 된 우샨카(러시아 털모자)를 쓴
칼리가와는 대조적으로 굴미라는 검은 색 원피스에 몸매가
그대로 드러나 스마트해 보이는 타이트한 유럽브랜드의
모직코트를 입은 시크한 차림이었고 화장 역시 한국 여성에
가까운 세련된 모습이었다. 그녀는 약간 상기된 표정으로
수현의 손을 잡아 끌었고 그는 채 뭐라 말도 못한 채
그대로 그녀의 부모 앞으로 끌려갔다. 생각보다 칼리가와
테미르타이는 당황하는 기색없이 따뜻하게 수현을 맞이했고
티무르와는 가벼운 포옹까지 했다. 그리고 굴미라는 그대로
수현을 토카예프의 테이블로 데리고 갔다. 일반적인
행사라면 대통령이 가장 늦게 나타나는 것이 당연하겠지만,
그날따라 좀 빨리 왔다가 갈 생각으로 들렀던 모양이었다.
토카예프는 대통령이 된 직후부터 카자흐 정보부에게
굴미라와 수현이 교제하고 있는 상황에 대해서 보고받아
왔으면서도 막상 자신의 눈 앞에 두 사람이 나타나자 좀
당황한 것 같았다. 굴미라를 보고 그 답지 않게 밝게 미소를
지었다가 그 옆의 수현을 보고 금방 긴장한 바람에 눈빛은

날카로워지고 입은 아직 웃고 있는 약간 무서운 표정이
되었다. 그럼에도 토카예프는 의례적인 악수를 위해 손을
내밀었는데, 수현은 그 손을 잡아당기면서 포옹을 했다.
그러자 대통령 경호원 중 근접 경호를 맡은 두 명 중
하나는 숄더홀스터(Shoulder holster)에 꽂혀 있는
피스톨의 손잡이를 잡았고 다른 하나는 1초 안에 수현을
태클하여 제압하려는 준비자세를 잡았는데 그 모습을 보며
굴미라는 웃음이 터졌지만, 수현의 어깨에 기댄 토카예프는
이제 입술을 굳게 앙다문 굳은 표정이 되었다. 골치 아픈
한국인이 본인의 조카뻘인 자신의 딸과 사귀고 있는 것을
사람들 앞에 드러낸 것도 못마땅했지만, 그가 자신에게 한
귓속말 때문이기도 했다.

"Могу я занять 5 минут вашего времени,
пожалуйста? (Mogu ya zanyat' 5 minut vashego
vremeni, pozhaluysta? 5분만 내 주셨으면 합니다.)

호스트인 칼리가 일가와 유력 초청객 들이 돌아가며
한마디씩 하는 순서가 지나고 음식이 서비스되기 시작함과
동시에 '아이가'라는 무대명의 아이가님 잘리코바
(Aiganym Zhalinova)가 무대 위에 오르자 테이블에서는

난리가 났다. 한국의 톱 엔터테인먼트 회사에서 연습생 시절을 거쳐 카자흐스탄 국내보다도 케이팝(K Pop) 시장에서 먼저 인정받은 인기 가수로 일주일 전 시위의 영향을 거의 받지 않고 있는 아스타나 콘서트에서 이미 10만 관중을 모아 성황리에 콘서트를 마쳤던 참이었다. 그녀가 첫 곡의 후렴구에 들어갈 무렵 토카예프는 화장실에 들르기 위해 일어났고 여섯 명의 경호원들과 함께 화장실이 있는 아래층으로 계단을 통해 이동했다. 토카예프에 앞서 경호원들이 먼저 화장실에 들어왔고 숨겨져 있는 위험요소가 없는지 점검하기 시작했다. 핸드 드라이어부터 쓰레기통까지 다 확인한 후에는 부스들을 하나씩 커버하기 시작했는데 세개의 부스 중에 하나에 아직 사람이 있었다. 내보내려고 경호원 중 하나가 노크하자 안에서도 노크 소리가 들렸고 이에 나가라고 이야기하려고 하는데 이미 바지 지퍼를 내리고 있는 토카예프가 조용히 고개를 저었다. 그러자 팀장을 제외한 다른 경호원들은 화장실 밖으로 나갔고, 그러는 사이 토카예프는 용무를 마치고 세면대로 향했다. 그 때, 문제의 부스에서 수현이 나왔고 경호팀장은 피스톨의 안전장치를 풀었다. 토카예프는 다시 한번 그를 저지하며 잠깐 나가 있으라고 했다. 경호팀장은 걱정스러운 표정으로 뭔가 항변하려다 대통령의 눈빛을 보고 조용히

문밖으로 철수했고 수현은 손을 씻는다기 보다는 흐르는 물에 손을 넣고 이리저리 뒤집고 있는 토카예프와 나란히 섰다. 두 사람은 거울 속에서 눈이 마주쳤다.

"5 минут это долго (5 minut eto dolgo, 5 분은 긴 시간이오.)"

***

10 년전. 절대 권력은 절대 부패한다고 했던가… 나자르바예프 일가와 측근들이 상당한 재산을 다수의 스위스 은행에 숨겨놓고 있다는 이야기는 그 누구도 놀라게 할 수 없는 공공연한 비밀이었다. 하지만 정체불명의 해커집단이 당시, 이 이야기를 뒷받침해 줄 수 있는 증거, '인싸'들과 그들의 주변 인물들 간에 오간 이메일 수십 테라바이트를 해킹해서 '세계 탐사보도 기자협회'에 넘겼다는 소식이 기사화 되었을 때 적어도 카자흐의 최고 부자 160 인과 그 주변 인물들은 경악을 금치 못했다. 특히, 당시 나자르바예프의 오른팔이었던 토카예프는 핵무기 감축을 담당하는 총책임자(UN Director General)라는 위치에서 나름의 야망을 쫓고 있던 참이었고 폭로기사가

세상에 나오면 회복 불가능한 데미지(Damage)를 입을
참이었다. 그가 가장 우려했던 점은 나자르바예프조차
모르는 돈이 수백만불 있었던 것이었다. 엉뚱하게도 그런
그에게 도움의 손길을 내밀었던 건 남한의 정보사 넘버
투였던 수현이었다. 당시, 그는 자신과 관련된 검은 돈의
흔적을 지우려 애쓰고 있었고 문제의 이메일을 포함해
해커들이 확보한 자료를 발빠르게 빼돌린 뒤, 우선 스위스,
아니 EU 금융당국의 조사를 지연시키는 한편, 탐사보도
기자협회의 신뢰성을 무너뜨리는 방식으로 문제를
해결하려던 참이었는데 미래에 자신의 영향력을 극대화
시키기 위해 주로 '회색지대'에 있는 국가의 주요 인사들,
영향력 있는 자들을 대상으로 요청하기도 전에 도움을 주고
있었던 것이다. 이슈는 잘 봉합되었고, 그 때부터 수현과
토카예프의 인연은 시작되었다.

***

"5 минут это долго (5 minut eto dolgo, 5 분은 긴
시간이오.)"

특유의 꿰뚫는 듯한 눈빛으로 토카예프는 수현의 표정을
살피며 러시아어로 말했다. 수현은 그냥 멋쩍게 웃었다.
수현과 토카예프가 한 때 가까운 사이'였던 것'은
틀림없었지만 후자는 지금 일국의 원수였고, 무엇보다,
전자가 자신의 가장 깊숙하고 민감한 비밀을 알고 있음을
사실 불편하게 생각하고 있음에 틀림없었다. 따라서
카자흐에 뿌리를 내리고 살 수는 있게 하되 어떤
상황에서도 정치적으로 자신에게 위협요인이 될 수 없도록
항상 가까운 거리에 두고 감시해 왔음 또한 잘 알고 있었다.
하지만 서울에서 온 제안을 이행하기 위해서는 돈이
움직이기 전에 대응해야 했고 수현에게는 적정한 공권력과
작전을 실행할 수 있는 인력이 필요했다.

"각하의 도움이 절대적으로 필요한 일이 있습니다만, 잘
되면, 각하께도 크게 도움이 될 만한 일입니다. 들으시면
거부하기 어려우실 겁니다."

이어서 수현은 비자금 15 억불과 이를 회수하기 위한 '비밀
작전'의 필요성에 대해 설명했다. 듣고 있는 토카예프의
표정은 변화가 없었지만 눈빛은 분명 흔들리고 있었다.
수현은 1 분 정도 대통령의 입술을 바라보며 반응을

기다리다가, 씰룩 거리자 거기서 나올 질문을 자신의
입으로 얘기했다.

"각하께 크게 도움이 될 만한 부분은 어디있냐구요?"
그리고 나서 답도 말하기 시작했다.

"혼란스러운 정국을 진정시키기 위해 얼마전 KNB 부터
정상화시키기 시작하셨지만 사실 아직 공권력의 많은 부분,
특히 보안당국의 주류 세력은 나자르바예프의 사람들입니다.
알마티의 시위대를 어느정도 고립시키는 데까지는 성공한
듯하지만, 이들을 진압하는데 열쇠를 쥐고 있는 경찰과
군대가 의도적으로 상황을 악화시키고 그래서 오히려
각하가 계시는 아스타나까지, 아 바뀐 이름이
누르술탄이던가요? 혼란의 불꽃이 옮겨 붙을지 모를
일입니다. 제가 보기에 지금 각하께는 믿을 수 있고 이
상황의 제압이 가능한 강력하며, 무엇보다 시스템 외부에
있는, 무력이 필요합니다."

수현은 이미 토카예프가 러시아 쪽과 긴밀하게 대화를
나누고 있으며, 상황에 시급성에 대해 이견이 있어
초조해하고 있는 것을 알고 있었다. 또 이견을 좁히기 위해

토카예프가 푸틴(Vladymir Putin)에게 모종의 '인센티브'를
제공하고 싶어도 이것이 밖으로 알려지면 여론은 급속히
최악을 향해 달려갈 것임도 충분히 예상할 수 있었다.

"제가 저 돈으로 각하와 푸틴 동지 사이에 보이지 않는
끈이 되어드리겠습니다."

토카예프는 이제 사뭇 달라진 눈빛으로 수현을 물끄러미
바라보다가 직접 휴대폰을 꺼내 어딘가로 전화를 걸었다.

"의장 동지, 나요."

***

같은 시각 아스타나 KNB 의장실

"네 … 네 … 비밀리에 최소한의 병력…네? 대한민국
총영사관을요? 그건… 아, 네 …용.수.현… "

부임한지 채 며칠도 지나지 않아 사짐바예프는
대통령으로부터 민감한 작전을 지시 받고 있었다. 전화를

끊고 그는 잠시 생각에 빠졌다. 정식 보고체계를 따라 지시할 사항은 분명 아니었기 때문이다. 그는 고민 끝에 작전 팀 중 하나를 이끌고 있으면서 자신이 국가안전국에서 수년간 데리고 있었던 카디예프(Cardiev)를 생각해 냈고 집무실로 호출했다.

'Special Forces Service 'A', 구소련 시절 KGB 알파 그룹을 계승한 특임대로 가장 민감한 지역에서 가장 비밀스러운 작전을 수행할 수 있는 최정예 병력들이 모여 있는 곳으로 과거에 아리스탄(Arystan) 특공대라 불렸었다 (아리스탄은 카자흐어로 사자라는 뜻이다.) 시위를 부추기고 있는 반동세력이 완전히 제압되지도 않은 상황에서 이 중요한 전력의 일부를 엉뚱한 일로 돌린다는 것은 상식 밖의 일이었지만 대통령의 말하는 톤으로 미루어 짐작컨대 적어도 토카예프에게는 반동세력 색출 및 제압을 넘어서는 시급성과 중요성이 있음에 틀림 없었다.

카디예프(Cardiyev) '팀장'은 호출 3분만에 올라와 문을 두드렸다.

"대장 동무, 알마티에 가서 '손님'을 한 분 모시고 '물건'을 하나 찾아와야겠소. 그러니까…"

카디예프가 굳이 뭔가 말 할 필요도 없이 그의 표정은 생뚱맞은 상관의 지시에 대해 많은 질문을 던지고 있었다. 사짐바예프는 그 질문이 소리를 내기 전에 '지시가 탑(Top)에서 다이렉트로 내려왔음'을 강조하며 명령을 하달했고 부하는 특징적인 매부리코를 찡그리며 무슨 말인지는 알아들었지만 썩 행복하지는 않은 표정으로 고개를 끄덕였다.

"근데 동무 '물건'을 찾는대로 '손님'은 작전에서 배제하도록 하시오."
"네?!"

나가려는 자신을 향해 상관이 마지막으로 떨군 한마디에 '이것도 위에서 직통으로 내려온 지시'인지 확인하고 싶었지만 카디예프는 그냥 얼굴을 찌푸리며 방문을 열었다.

그가 나간 후, 사짐바예프는 국경수비대 대장과 통화해 또 하나의 지시사항을 하달했다.

4장

D-day 알마티

제갈은 우연히 근방을 지나던 시민 한사람에게 부축 받아
길 옆에 있는 벤치에 앉았다. 그리고 정신이 들자마자
스마트폰을 꺼내 앱 하나를 켰다. 화면에는 알마티 지도가
나왔고 그 위의 한 지점에서 노란색 불빛이 반짝이고
있었다. 타인이 찾기 어렵도록 돈 더미 한 중간에 설치된
추적기는 다소 구형이긴 했지만 전 세계 어디에서든 제갈의
휴대폰 앱으로 15억불에 대한 추적이 가능토록 하는
것이었다. 좀 의외였지만 아주 익숙한 지점이었다. 정상적인
상황이라면 외교화물을 도난 당했다며 경찰에 찾아가는
것이 맞겠지만 제갈은 택시를 잡아 전혀 다른 장소로
향했다. 차 안에서 그는 누군가에게 전화를 걸어 영어로
이야기하기 시작했다. 상대방의 영어는 흠잡을 데 없이
유창했지만 특이한 억양이 있었다.

"Yes?"
"It's me."

"What can I do for you?"

"물건을 하나 찾아야 하는 데 거기 데려갈 팀을 하나
만들어 줘야겠어."

"물건이 있는지는 아시나요?"

"다행히도 그래. 하지만 그게…"

제갈은 문제의 물건이 알마티 대통령궁 안에 있으며 사실상
'팀'이 그 곳을 털러 가야 하는 상황임을 설명했다.
상대방은 황당한 듯 헛웃음을 웃고 한동안 대답이 없었다.

"Hello?" 제갈의 재촉에 상대방은 할 말을 아직 찾지 못한
듯 목소리를 고르며 겨우 입을 열었다.

"할 수 있다고 해도…"

"댓가는 얼마든 지불할게. 안된다는 대답은 안돼."

"알겠는데 A 팀을 기대하진 마세요. 지금 보내는 팀도 다른
프로젝트가 있어서 대기중인 친구들인데 48 시간 내에는
돌아와야 합니다."

제갈은 상대방에게 지키지 못할 약속을 하며 전화를 끊고
창문을 내린 뒤 전화기를 던져버렸다. 상대방은 몽골
울란바토르에 등록된 한 회사의 대표로 '가니(Ghani)'라는

자였다. 제품도 직원도 없는 그 회사는 좀 특별한 서비스를
제공하며 돈을 벌고 있었다.

민간군사기업들도 진화하고 있었다. 이전에 '블랙워터'나
'와그너 그룹'과 같은 회사들이 각각 영미권과 러시아의
특수부대 출신들을 직접 고용하여 주로 '위험관리 컨설팅
서비스'를 직접 제공하는 방식으로 수익을 올리는 단순한
수익구조를 취했다면 이제 다수의 수요자와 공급자를
연결시켜주는 플랫폼 구조가 유행이었다. 즉, 방금 제갈과
통화를 끝낸 자가 운영하는 회사와 같이 주로 유라시아
지역의 전현직 특수부대원들의 데이터베이스를 가지고
있으면서 특별한 프로젝트를 원하는 고객들과 연결시켜
주고 소정의 수수료만 취하는 것이었다. 전통적인 PMC에
비해 매출은 수천, 수만분의 일 수준이지만 무엇보다
위험이 상대적으로 적었고 한 나라의 법망을 피해 여러
나라에 걸쳐 비즈니스를 할 수 있었다. 가니는 러시아
군정보부(GRU) 출신으로 전투보다는 정보수집과 공작
전문가로 구소연방국가들을 중심으로 동유럽과 중동 일부에
이르는 광대한 네트워크를 가지고 있었다.

택시는 어느새 목적지에 도착했고 제갈은 미터기를
쳐다보지도 않고 만 텡게를 줬다. 받아 드는 할아버지

기사의 얼굴이 환해 졌고 앞니가 하나도 없는 동굴같은
미소를 지었다.

제갈이 차에서 내린 곳은 여기저기 컨테이너들이 쌓여 있는
야적장이었다. 그는 컨테이너와 컨테이너 사이를 걷다가 한
컨테이너 앞에 멈춰 섰다. 목걸이로 걸고 있던 열쇠를 꺼내
자물쇠를 열고 들어가 입구 옆에 있는 전원 스위치를
올리자 내부의 전등이 들어왔고 그는 문을 닫았다. NIS 와
무관하게 '프로젝트'를 위해 개인적으로 마련한 안가(Safe
House) 였다.
문 맞은편에 ㄴ자로 꺾인 사무용 책상과 의자, 책상과 문
사이엔 소파와 테이블, 그리고 야전침대와 전기히터도 하나
있었다. 침대 밑에는 물과 사흘치 식량이 박스 안에
정리되어 있었다. 눈보라가 치는 추운 날이었고 해가 저물
무렵이라 기온은 더 떨어지고 있었지만 그는 전기히터를 켤
겨를도 없이 책상 쪽으로 가서 의자에 앉았다. 책상 밑으로
작은 금고 하나가 보였고 그는 네 자리 비밀번호를
키패드에 찍고 그걸 열었다. 안에는 스마트폰 하나와 미화
백달러 지폐다발 다섯 개, 그리고 리볼버 권총 하나가
들어있었다. 그는 스마트폰을 집어들고 금고 문을 닫았다.

두번째 통화를 하려던 제갈의 눈에 아스타나 대사관에서
전송된 긴급문자가 들어왔다. 불과 몇시간 전 알마티
국제공항이 '폭도'들에게 습격 당했으니 외교공관 직원들은
물론 교민이나 여행객들의 주의를 요한다는 내용이었다.

"이런 빌어먹을!"

소리를 지르고 나서, 그는 빨개진 자신의 정수리라도
보려는 듯 천정을 한참 바라보며 잠시 고민하다 다른
번호에 전화를 걸기 시작했다.

***

몇시간 후, 알마티 대통령 관저

1980년에 건축된 알마티 대통령궁은 주변에
구소련방시절의 건축양식을 볼 수 있는 건물들이 들어서
있는데 바로 옆에는 알마티에서 가장 큰 공원인 대통령
공원이 있었다. 대통령궁의 높이는 14m로 신 광장 주변의
다른 건물들과 대조적으로 우뚝 솟아 있는데 수직으로 뻗은
원주기둥이 건물의 정면을 장식하고 있고 양 측면도

원주기둥으로 장식하여 전체적으로 위엄 있으면서도 엄숙한 분위기를 자아내고 있었다. 수도를 알마티에서 아스타나로 옮긴 이후에는 대통령의 거처라기 보다는 방문객을 위한 관광명소로 사용되고 있었다.

그리고 시위대에 의해 빌딩전체가 점거되어 인테리어가 복구 불가 수준으로 파괴되던 그 날, 대통령궁은 그 전 42년간 상징해왔던 권위가 아닌, 바로 그 힘과 위세의 붕괴를 상징하고 있었다.

경찰과 경비대는 처음에 삼삼오오 모여든 시위대들을 최루탄과 공포탄으로 위협하다가 그 수가 갑자기 수십, 수백으로 불어나고 그 중 상당수의 손에 AK 소총과 권총까지 보이자 겁을 먹고 이미 철수한 상황이었고 시위대는 무단으로 궁 안으로 난입하여 보이는 대로 때려부수고 불지르기 시작했다. 1층 로비에 값비싼 부조 장식들을 대부분 파괴하자 2층으로 이동했다. 한층씩 점거하며 올라간 후 최종적으로 옥상으로 부터 시위구호가 쓰여 있는 휘장을 걸어 내릴 계획인 것 같았다. 하지만 그 중에 비상계단을 통해 지하를 향하는 몇몇 사람들이 있었다. 평범한 시위대처럼 보이는 그들의 움직임은, 그러나, 일반인 답지 않게 민첩하고

스무스(Smooth)했다. 좀더 주의를 기울여 그들의 옷차림을
관찰했다면 모두 길고 두꺼운 겨울 패딩 안에 뭔가를
감추고 있음을 눈치챘을 것이다. 그렇게 두개 층을
뛰어내려가던 그들은 드디어 찾고 있던 것을 발견했다.

제갈성은 일행들에게 멈추라는 뜻으로 주먹을 치켜들었다.
그는 지하 2층 주차장으로 들어가는 출입문 앞에 서있었고
문에 난 창을 통해 주차장 안을 들여다보고 있었는데
왼쪽에서 오른쪽으로 스캔하던 그의 시야 오른쪽 구석에
일단의 경비병력들이 보였기 때문이다.

'그 놈들이다!'

체격조건이나 움직임, 헤어스타일, 그리고 간간이 눈에 띄는
문신으로 봤을 때 몇시간 전 그들을 덮쳐 밴을 빼앗았던
자들에 틀림없었다. 밴을 탈취당했을 때에 비해 적의 숫자가
많이 줄어 보였는데 아마도 지상부에 시위대가 난입해서 궁
내부를 약탈, 파괴하고 있는 상황때문에 일부는 좀 떨어진
곳에서 경계를 서고 있는 듯했다. 습격할 기회였다.

가니가 보내준 자들은 그의 말대로 A 팀처럼 보이진 않았고
다섯명이라는 수도 충분치 않았다. 스페츠나츠 출신이라는,
자신을 '보리스'라 소개한 40 대 리더는 190-100 정도
되어 보이는 거구의 러시아인이었지만 나머지는 제갈과
비슷한 체격의 중앙아시아인들로 외관상 대충 카자흐와
우즈벡 정도가 아닐까 짐작 가능할 뿐 자세한 건 알 수
없었다.

무기는 일부는 개인들이 준비했고, 나머지는 제갈이 안가에
있던 것들로 제공했는데 보리스와 다른 한 명 정도는
경기관총과 소음기 등 작전용 장비 지급이 가능했지만
나머지는 되는대로 AK 계열 소총으로 무장하고 있었다.
제갈의 예상이 맞다면 상대방은 카자흐 최정예 부대였는데
그들의 상대가 될 지 몰라 불안했다. 기습이라는 이점을
십분 활용하지 않는다면 탈환은 커녕 전멸당할 지도 모를
일이었다.

제갈은 뒤를 돌아봤고 보리스와 눈이 마주쳤다. 후자는
전자의 마음을 읽기라도 한 듯 씨익 웃었다. '자신감인가
광기인가?' 보리스는 고갯짓으로 제갈이 자기 쪽으로
오도록 한 뒤, 앞쪽에 있는 부하 둘에게 눈짓했다.
소음기를 부착한 피스톨을 든 자가 슬며시 출입문을 조금

열고 그 사이로 총구를 내밀었고 그 옆에 있는 자는 AK를 가슴 앞쪽으로 당겨 언제든 잡고 쏠 수 있도록 자세를 잡은 뒤 안가에서 챙겨온 연막 수류탄을 집어 들었다.

'푸슝! 푸슝!'

피스톨에서 발사된 총알 두 방이 경비병력 두 명의 각각 머리와 목을 관통함과 동시에 연막 수류탄 두 개가 연달아 현금밴이 있을 듯한 방향으로 연기를 뿜으며 굴러들어갔다. 이제 활짝 열린 출입문을 통해 보리스와 제갈을 제외한 네 명의 용병들이 진입했다. 그들의 기관총 소리와 대응하는 상대방의 자동화기 소리가 고막을 찢는 듯해서 제갈은 본능적으로 두 손을 들어 귀를 막았다. 실내라고 해도 영하의 낮은 기온이었지만 이마에 땀이 비 오듯 했다. 시야에는 연기 속으로 소총을 난사하고 있는 용병들의 모습이 들어왔는데 갑자기 한 명이 뒤에서 누군가 잡아챈 것처럼 고개를 뒤로 젖히더니 누워 버렸다. 보리스는 문 앞에 서서 교전상황을 모니터하고 있었다. 1분여가 지났을까 거짓말처럼 총성이 멈추자 그는 연기 속으로 성큼성큼 걸어 들어가더니 제갈을 소리쳐 불렀다.

방금 교전이 있었던 현장으로 나오자 처음엔 연기 때문에
기침과 눈물이 나다가 좀 적응이 되며 상황이 눈에
들어오기 시작했다. 전방에는 자신의 밴 후방이 보였고 그
뒤에는 제일 먼저 피스톨을 맞은 두 명과 헤드 샷을 맞은
자신의 용병이 쓰러져 있었다. 또 밴 좌측으로는 적 두 명,
우측으로는 한 명이 쓰러져 있었고 보리스는 그 옆에 서
있었다. 그의 오른 손에는 러시아 특수부대에서 사용한다는
MP-443 그라흐(Grach) 권총이 들려 있었는데 총 끝에서
아직 연기가 나고 있는 걸로 보아 마지막 한 명은 그의
손에 죽은 것 같았다. 제갈은 먼저 적재함의 외교 봉인
(Diplomatic Seal)부터 그대로 있는지 확인했다. 시위대가
대통령궁을 습격.점거하는 것은 적들도 예상 못했던
모양이었는지, 아니면 볼트 커터가 없었는지 차량을
탈취하고 나서 봉인조차 뜯지 못하고 있었던 것 같았다.
자신을 부르는 보리스 쪽을 돌아보자, 그는 자신의 발
앞에 쓰러져 있는 시신을 총구로 가리키며 말했다.

"아리스탄이오. 전에 같이 작전을 한 적이 있는 자요."

'이런 제길…' 우려했던 대로 카자흐의 최정예 부대가
자신의 밴을 노렸던 것이었고, 카자흐 정보부, 나아가

집권세력이 배후에 있는 것이 틀림없었다. '어떻게 알았을까?' 머리 속으로 상황을 좀더 잘 이해하려 애쓰는 한편 그는 계속 무언가를 찾고 있었다.

"이봐, 뭐하는 거요? 뭘 찾고 있는 거요?"

제갈은 밴 왼쪽으로 가서 누워있는 두 명의 얼굴을 확인하고 있었다.

"뭘 찾고 있냐고?!"
"지금 바로 출발해야 돼. 출발!" 보리스는 참을성을 잃고 소리쳤다.

제갈은 밴을 빼앗길 때 조수석에 올랐던 자를 찾고 있었고 눈에 띄지 않았다. 근처 어딘가에 추가 병력들과 있음에 틀림없었다. 잡아서 배후를 확인하고 싶었지만 시간이 없었다. 제갈은 보리스와 밴에 올라 탔고 세 명의 용병들은 근처에 세워져 있던 한 폭스바겐 세단의 문을 따고 탔다. 그 와중에 죽은 용병의 시신도 가까스로 차 트렁크에 구겨 넣었다.

방향을 돌려 출구 쪽을 향할 무렵 백미러를 통해 자신들이 방금 통과했던 주차장 계단 출입구를 통해 몇몇 사내들이 나오는 것이 보였다. 가장 앞에는 몇시간 전 밴을 탈취했던 매부리코였다.

"Иттің баласы! (İttiñ balası! Son of a bitch)"

출구 속으로 사라져가는 밴을 본 카디예프는 권총을 뽑아 들고 쫓아가려 했지만 이미 가속이 붙은 자동차를 따라잡을 수는 없었다. 추격을 위해 자신들이 가져온 포드 SUV로 가려던 순간 카디예프의 눈에 쓰러져 있는 부하들의 모습이 들어왔다. 그는 달려가 누워있는 자들의 이름을 불러봤지만 그 누구도 일어나지 않았다. 패닉에 빠져 잠시 어찌할 바를 모르고 서있는 그의 귀에 이번에는 누군가가 소리치는 음성이 들렸다.

"저…저기 봐!"
"사람이 누워있는 거 아냐?"
"누구지 저 총 들고 있는 놈들은?"

처음에는 잘 이해되지 않았지만 곧 상황이 자체적으로 설명되었다. 이제 지하까지 내려온 시위대는 누워있는 일반인 복장의 사내들을 시위대, 그리고 그들을 보며 서 있는 총 든 사내들을 경찰이나 경비대로 오인했던 것이었다. 시위대에도 AK 를 들고 있는 자들이 있어 이제 장전손잡이를 당기고 막 격발을 시작하려 하고 있었다.

그 때, 포드가 카디예프와 시위대 사이를 막았고 그는 누군가에게 끌려 들어가듯 차안으로 빨려 들어갔다. SUV 는 처음에 밴이 사라진 쪽으로 방향을 잡았다가 어느새 시위대에 의해 막혀 있는 것을 발견하고 입구 쪽으로 방향을 돌렸다.

'타타타탕!'

그 때였다. 시위대에서 발포를 시작했고 포드의 뒷유리창은 박살이 났다. 뒷자리에 앉은 카디예프의 부하들은 바로 응사를 시작했다. 시위대 중 일부는 총알을 피해 흩어졌지만 이미 무장한 자들은 차의 뒤를 쫓아 뛰면서 계속 총을 쏴 대고 있었다. 뒷좌석의 부하 중 하나가 수류탄을 꺼내 들고 조수석에 앉은 카디예프를 바라보자 후자는 고개를

끄덕였고 전자는 안전핀을 뽑은 후 '폭도'들을 향해
투척했다.

***

같은 시각 대통령 관저 근처

"차장 동지, 밴이 다시 움직이기 시작합네다. 대통령궁을
빠져나오고 있는 것 같습메."
"정확한 상황을 모르니끼니 일단 교전하디 말고 뒤를
밟으라."
"알갔습네다!"

명철 일행은 밴이 멈춰 있는 대통령궁 부근에서 차가 다시
움직일 때 기습할 생각으로 잠복 중이었고 정국은 명철이
돈을 찾아오면 세탁하여 국경을 넘는 루트(Route)의 확보를
위해 다른 곳에 가 있었다. 카자흐 국영 하바르(Khabar)
방송을 통해 대통령궁으로 '폭도'들이 난입했다는 뉴스는
이미 알고 있던 터였기에 현금을 가득실은 밴이 그곳에
오래 머물지는 못할 것이라고 예상은 하고 있었다. 쟝루가

SUV의 운전대를 잡았고, 명철은 조수석에, 다른 항주의
용병들은 뒷좌석을 차지하고 있었다.

명철은 스마트폰 앱으로 밴의 위치를 보고 있었는데 빨간
점이 주차장 출구를 향해 가다가 검은색 패널 밴으로
바뀌어 300미터 전방의 공화국 광장에 나타나는 것이
보였다.

"走, 走, 走, 走, 走! (가자!)"

그의 급박한 명령에 쟝루는 악셀부터 밟으며 기어를 'D'로
넣었고 차에서는 고라니가 우는 듯한 소리와 함께 고무타는
냄새가 났다. 하지만 차는 채 100미터도 가기 전에
급정거했다. 증원되어 돌아온 경찰들에게 쫓기고 있는 듯,
족히 백명은 될 듯한 시위대가 좀비 떼처럼 정면에서
달려오고 있었기 때문이다. 명철은 다시 차를 돌릴 것을
명령했고 쟝루는 급하게 유턴해 시내 쪽을 향했다. 그의 눈
한 구석에 빨간 점의 위치가 자신들의 현 위치와 빠른
속도로 멀어지는 것이 보였다.

***

30분 후 대통령 관저 근처

'빌어먹을 지옥문!'

수류탄으로 폭도들을 따돌리고 입구 쪽으로 역주행까진 할
수 있었는데 출구로 사용하려던 입구의 철문이 굳게 닫혀
있었던 것이다. 카디예프는 뒷좌석에 앉은 부하들에게 문을
열 것을 지시했고 그러기 위해 그들은 다시 지하주차장을
통해 1층에 있는 보안 관리실로 올라가 지키고 있던 시위대
5명을 처치하고 Open 스위치를 눌러야 했다.

이내 '지옥문'을 열고 대통령궁 입구로 나온 후 카디예프는
차를 몰고 있는 부하에게 공화국 광장 쪽으로 가도록
지시하고 누군가에게 전화를 걸었다.

"여어… 이 늦은 시각에?"
"알잖나 급하지 않으면 연락 안 하는 거?"

전화기 저편에서 한숨을 쉬는 소리가 들렸다.

"필요한 게 뭐지?"

"알마티 공화국 광장 반경 5 Km 내 모든 CCTV 를 뒤져서 넘버 XXXX 검은색 현대 H350 패널밴을 찾아줘."

"그걸 내가 어떻게.."

"사례는 할 거네."

"타임프레임(Time frame)은?"

카디예프의 주문은 심플했지만, 아스타나에 앉아있는 전직 KNB 직원은 경찰, 경비대, 일부 민간 회사의 폐쇄회로 카메라까지 동원해서 해당 넘버판을 뒤져야만 했다. 수년간의 업무적.개인적 친분이 있는 카디예프조차 본명을 모르는 이 사내는 음지의 세계에서 'елес(eles, 유령)'로 통했다. 프로페셔널 해커로써 과거 10 년 이상 KNB 에서 온갖 사이버 작전에 동원되어 주로 적의 시스템에 침투하는 공격수로 활동 했었고, 공직 생활에 염증을 느끼고 프리랜서가 될 때 KNB 시스템을 해킹하여 자신의 인사자료를 모두 지우고 잠적해 버렸다는 이야기는 전설처럼 남아있었다.

"25 분 전에 푸쉬킨가를 따라 올라가기 시작했네."

카디예프는 부하에게 방향을 지시했다.

***

같은 시각, 알마티 북부

밴과 폭스바겐은 속도를 낮추고 컨테이너 야드 (Container yard)로 들어갔다. 모두 차에서 내렸고, 폭스바겐에 탔던 용병들의 시선이 H350 밴 적재함을 향하자 보리스는 그들의 마음을 읽은 듯 말했다.

"이봐, 돈은 나중에 챙기고 친구부터 묻어 줘야 할 거 아니야."

3인조는 서로 잠시 눈빛을 교환하다가 들릴 듯 말 듯 한숨을 쉬고 다시 차 쪽으로 갔고, 상대적으로 덩치가 큰 우즈벡인이 폭스바겐 트렁크에서 꺼낸 용병의 시신을 어깨에 둘러멨다. 컨테이너 야드 안에는 군데군데 가로등이 켜져 있긴 했지만 대체로 어두웠다. 보리스는 오른 손으로, 가로등이 없어 블랙홀처럼 보이는, 폐 컨테이너들이 쌓여 있는 쪽을 가리켰고 세 명과 시신이 먼저, 그리고 보리스가 뒤를 따랐다. 그 사이 안가로 쓰고 있는 컨테이너에서

야전삽 두 개와 곡괭이 하나를 꺼내 온 제갈이 마지막으로 뒤를 따랐다.

일행은 누가봐도 으슥한, 적어도 십년 이상 버려져 있던 것으로 보이는 지점에 멈춰 섰고, 우즈벡인은 시신을 살포시 내려놓은 뒤 곡괭이를 잡았다. 나머지 두 명도 야전삽을 든 뒤 작업을 시작했다. 일년 중 가장 추울지도 모르는 날인 데다가 밤이라 땅은 꽝꽝 얼어 좀처럼 파지지 않았고 나중에 제갈까지 가세해서 모두 땀 범벅이 될 때까지 삽과 곡괭이질을 했다. 영하 15도에 가까운 기온에도 열이 올라 모두 두꺼운 웃옷은 물론 상의까지 탈의하고 런닝셔츠 바람으로 일하고 있었다. 작업을 위해 보리스와 제갈이 손전등을 비췄는데 빛이 있는 곳으로 먼지 분자와 용병들 몸에서 증발된 수증기 분자가 대기 중에 퍼지는 것이 보였다. 잠시 후, 간신히 한사람이 누울 정도의 구덩이가 만들어 졌고 두 명의 용병이 시신을 그 안으로 옮겼다. 주로 작업을 한 세 용병은 생각보다 빡 셌던 구덩이 파기에 가쁜 숨을 몰아 쉬며 시신 주위에 섰고, 제갈은 어느새 코트를 입고 추운 듯 옷깃을 여미고 있었다. 그리고 보리스는 2~3미터 정도 멀찍이 떨어져 서서 용병들 쪽을 보고 있었다.

"뭔가 의식이 필요하지 않겠소?" 동료의 시신 위에 흙을 덮으려 하자 보리스가 이야기하며 눈감고 묵념하듯 고개를 숙였고, 제갈을 포함한 다른 용병들도 모두 도구를 내려놓고 그 뒤를 따랐다. 세 명 중 둘은 무슬림인 듯 손바닥이 하늘을 향하게 하여 두 손을 들었다. 그 때였다.

'푸슝, 푸슝!'

제갈이 놀라서 눈을 떠 보니 보리스가 자신의 소음기 달린 그라흐 피스톨로 이미 두 명의 머리에 총알을 박은 뒤 덩치 큰 우즈벡인을 겨누고 있었다. 우즈벡인은 연기나는 총구를 노려보며 곡괭이를 다시 들어 두 손으로 부여잡고 있었다. 어둠 속에서도 눈알이 번들거리는 보리스의 얼굴에 한줄기 웃음기가 지나갔고 다음 순간 우즈벡인의 뒷머리와 등이 터졌다. 머리에 한발, 가슴에 두발이었다.

이제 보리스는 총구를 제갈 쪽으로 돌렸고 갑자기 벌어진 상황에 어찌해야 할 바 모르고 있던 후자는 그제서야 두 손을 번쩍 들었다.

***

한 시간 후 같은 장소

"대장님, 다시 돌아올 것 같진 않습니다. 그리고 저기 한번
보십시오."

시각보다는 후각이나 직감이 더 발달한 듯한 부하
살리코프(Salikov)가 찾아낸 스팟(Spot)에는 네 구의
시체가 채 얕은 구덩이에 나란히 누워 있었다. 한 사람이
겨우 들어갈까 말까 한 자리에 모여 있어 죽어서도 불편해
보이는 그들은, 한 명을 제외하고 모두 가까운 거리에서
머리 혹은 머리와 심장에 9 mm 를 맞은 것 같았다.
그제서야 카디예프는 사짐바예프에게 상황을 보고 했다.
뜻밖에 KNB 의장은 수현을 관여(Involve)시킬 것을
지시했다. 카디예프는 애초에 '배제시키라'는 지시와 달라
의아해 했지만 "이번에는 실패없이 돈을 확보하는 것
말고도 만약 실패했을 때 누구에게 책임을 물을지 생각해야
해"라 덧붙인 의장의 설명에 더 이상 긴 말을 하지 않았다.
형제 같은 부하를 넷이나 잃은 그에게 이제 대통령이
명했다는 목표물 따위 중요치 않았고 오로지 책임 있는
자를 찾아 죽일 생각 뿐이었는데 전화기 저편의 양복이나
정복을 입고 책상머리에 앉은 자는 엉뚱하게 '책임 있는

자'를 만들어 낼 작정인 듯했다. 'қарғыс атқыр қалам итергіштер!(qarǧıs atqır qalam ïtergişter!, 빌어먹을 책상물림들!)' 어찌 보면 그들에게는 항상 책임을 회피하고 자리를 지키는 것만이 중요한 일이었다.

시간차를 극복하기 위해 헬기로 추적할 것을 의장에게 허가 받은 그는 지정된 헬리패드로 이동하면서 다시 유령에게 전화했다. 이번에는 60분 전부터 컨테이너 야드 부근의 CCTV에 잡힌 차량들을 추적해 달라는 주문이었고 전화기 건너편에서는 더더욱 긴 한숨소리가 들렸다. 그 다음은 수현과의 통화였다. 사짐바예프가 미리 기별을 한 듯 상대방은 침착한 목소리로 반응했다.

그리고, 30분 후 거의 헬리패드에 도착한 카디예프에게 전화가 걸려왔다. '벌써 도착했나?' 처음엔 수현이라 생각하여 의아한 표정이었다가 모니터에 '발신자 제한'이 뜬 것을 보고 표정이 아주 약간 밝아져 전화를 받았다.

"한 시간 동안 세 대의 차량이 그 야드에서 나왔는데 그 중 문제의 밴은 없었소."
"이런 젠장!" 좌절스러워 하는 카디예프의 목소리에 고소하다는 듯한 템포 쉰 후 유령은 이야기를 계속했다.

"아 아직 실망하긴 이르지. 그 새 트레일러 야드를 빠져나간 차량은 트레일러 한 대 뿐이었기 때문이오."

유령에게 트레일러의 진행방향까지 확인한 후 카디예프의 얼굴에 모처럼 보일 듯 말듯 미소가 떠올랐다.

5장

알마티에서 중국국경이 있는 호르가스(Khorgas)까지는
자동차로 4시간 정도가 소요되는 거리였고 세계 9위의
땅덩어리를 가진 카자흐 기준으로는 상당히 가깝다고 할 수
있었다. 하지만 단 두 명이 현금밴이 들어있는 트레일러를
몰고 카자흐 당국의 추적을 피해 국경 근처까지 가는 것,
또 월경(越境)하는 것은 큰 모험이 아닐 수 없었다. 다행히
A351 고속도로엔 평소보다도 차들이 드물었고 눈은
그쳤다. 트레일러는 전속력으로 동쪽을 향해 달렸다. 길
주변으로는 황량한 평원과 멀리 눈이 쌓여 있는 산의
실루엣이 보였다. 후자는 남쪽으로 키르기즈스탄의
천산산맥과 연결되는 듯했다.
외기는 영하 20도, 바람을 감안하면 영하 30도에 준하는
추위였지만 제갈은 몸 밖보다 몸 안에서 추위를 느꼈다.

***

두시간 전 알마티 컨테이너 야드

"손 내리시오. 당신은 안 죽여." 제갈의 의아한 표정에
보리스는 웃으며 덧붙였다.
"돈이 국경을 넘어야 하거든. 얼마인지 몰라도 여기
카자흐스탄에선 저 많은 돈을 쓰고 싶어도 둘 데도, 쓸
데도 없소."

밴 안에는 돈이 들었고 나누기에 네 사람은 너무 많다?
제갈은 적어도 국경을 넘기 전까지는 보리스와 자신의
이해관계가 맞는다는, 나아가 보리스는 자신의 월경을 도울
수 밖에 없는 입장이라는 것을 확인했기에 이후부터의
자신의 계획을 공유했다. '거의' 모든 계획을.

"알다시피 공항은 사용이 불가한데 사용 가능하다고
하더라도 이 밴으로는 불가능해. 당신 말대로 우리를 쫓는
자들의 정보부의 특임대라고 하면 아마 비밀리에 전국에 이
밴에 대한 수배령을 이미 내려놓았을 거요."
"그래서?"
"이 밴을 일반 컨테이너에 싣고 가다가 국경을 넘기 직전에
꺼내서 다시 외교화물로써 넘을 거요. 카자흐와 대한민국은

정식 수교국이라 아마 국경에서까지 장난치지는 못할
테니.."

보리스는 이마에 주름을 잡고 입을 삐쭉였지만 고개를
끄덕했다. 그것이 심각한 의심의 표정으로 바뀔 것임을
예상하면서 제갈은 말을 이어나갔다.

"중요한 건 여기서 부터인데…"

말을 다 듣고 나서 보리스는 한동안 말없이 제갈을
노려보기만 했다. 왼쪽 얼굴을 살짝 내밀고 어디서 어디까지
진실이고 거짓인지 보려는 듯 물끄러미. 그러다가 갑자기
표정을 풀었다.

"후후 나한테 무슨 선택지가 있겠소? 그저 한마디라도
거짓말을 했다면 죽는다는 것만 명심하시오. 그럴 경우 저기
누워있는 친구들처럼 자비롭게 총을 쓰지는 않을 거요."

제갈은 아무 말도 듣지 못한 듯 등돌려 무표정하게
적재준비가 되어 있는 한 일반 컨테이너 쪽으로 갔고
보리스는 반대 방향으로 가서 밴을 몰고 왔다. 제갈은

컨테이너에 밴이 들어갈 수 있도록 두 개의 좁고 긴
철판으로 임시 램프(Ramp)를 설치하고는 보리스에게
들어가라고 수신호 했는데, 후자는 램프 앞에서 차를
세우고 내렸다.

"이 차, 손이 한번 바꼈으니 혹시나 해서.."

마치 제갈의 표정에 왜 빨리 차를 컨테이너에 넣지
않느냐고 써 있기라도 한 듯 보리스는 말했다. 처음에는
스마트폰 플래시를 켜고 밴의 외관을 꼼꼼히 살펴본 그는
차 바닥부터 손으로 훑기 시작했다. 양손 끝 사이의 거리가
2미터 가까이 되는 거구이기에 그의 손이 닿지 않는
곳이라면 대부분의 다른 사람들은 당연히 닿지 않을
것이었다. 덩치에 어울리지 않게 꼼꼼이 뒤지면서 십분 쯤
시간이 흘렀을 때였다. 그의 표정이 달라졌다.

"뭔가 있나요?" 참을성 있게 지켜보던 제갈이 말했고,
보리스는 입술 오른쪽끝을 살짝 올리며 썩소를 짓더니
운전석 쪽 뒷바퀴 케이싱(Casing) 밑에서 떼어낸 추적기를
들어올렸다. 90년대 유행하던 호출기처럼 생긴 작은 기기는
고성능 이스라엘제 군용 트랙커(Tracker)였다.

'차를 이미 확보했는데 왜 추적기를?'

되찾기 전까지 밴을 가지고 있던 자들이 아리스탄이니 그들이 설치했을 가능성이 제일 높았지만 이런 식으로 다시 빼앗길 가능성에 대비했다는 건 좀 무리가 있었다.

'그렇다면..'

제갈은 부츠 뒷굽으로 추적기를 파괴하려고 하는 보리스를 저지하고 원위치 시키라고 말했다. 보리스는 처음엔 의아한 표정을 지었다가 이내 그의 뜻을 헤아린 듯 고개를 끄덕거리며 추적기를 다시 원래 자리에 부착했다.

***

두시간 후 A351 고속도로 위

견명철은 달리는 차 안에서 손전화를 보고 있었다. 좀더 구체적으로, 그의 눈은 GPS 위의 반짝거리고 있는 빨간색 점을 쫓고 있었다. 자신의 위치를 가리키는 점은 창백한

파란색으로 그 얼마 뒤에서 빨간 색과 비슷한 속도로
움직이고 있었다.

"타깃과 올마나 차이나지?" 명철의 질문에 운전대를 잡고
있던 쟝루는 한 쪽 눈으로 그의 폰 스크린을 힐끗 들여다
보고 대답했다.
"이제 2 킬로미터 정도입니다."
"고 정도로 유지하기요."

그 정도면 쫓는 쪽이나 쫓기는 쪽이나 서로를 육안으로
확인할 수 없을 것이었다. 하지만 자신들과 반대편에서
거슬러 내려오고 있는, 즉 국경인 호르가스(Khorgas)에서
출발해 서쪽으로 오고 있는 매복조가 자르켄트(Zharkent)
근처에 도달해 자리를 잡으면 그 때 속도를 내 추격해서
밴을 빼앗을 셈이었다.

***

같은 시각 알마티 메리어트(Marriott) 호텔 옥상 헬기장

아리스탄의 각종 특수작전에 동원되는 Mil Mi-24 Hind 공격용 헬기의 로터(rotor)는 이미 돌고 있었다. 안에는 파일럿과 부파일럿, 7명의 특수부대원, 그리고 한 명의 '손님'이 앉아있었다. 특수부대원들은 이제 모두 시위대 위장을 벗고 전투복과 방탄조끼 차림에 통신장비를 장착하고 있었는데 비즈니스 캐주얼과 몽클레어 패딩코트 차림의 그 손님만 이어셋을 받지 못한 것 같았다. 받았어도 카자흐어는 거의 알아듣지 못했을 것이지만.

"타깃까지 추정 거리는?" 카디예프가 부하에게 물었다.
"현 지점에서 100 클릭 동쪽입니다."
"자르켄트(Zharkent) 근처에서 따라잡을 수 있겠군."

이어셋을 통해 보고받은 카디예프는 고개를 끄덕였다. 335 킬로미터가 최고 시속이지만 370 킬로미터까지도 가능한 백전노장 Mi-24는 그 반도 못되는 속도로 가고 있는 트레일러를 한 시간이면 따라 잡을 것이었다. 어느새 부상한 헬기는 동쪽을 향해 전속력으로 날기 시작했다. 수현은 어둠 속에서 아래 세상에 펼쳐져 있을 스텝의 대평원을 상상하며

굴미라와 만나는 계기를 마련해 줬던 카스티예프 미술관의
대형 풍경화를 떠올리고 있었다.

***

같은 시각 고속도로 동쪽 방향

2시간동안 제갈의 시선은 트레일러 백미러에 고정되어
있었고 10분에 한번씩은 미행 차량이 없는지 확인하고
있었다. 1월의 카자흐 남부는, 사실 다른 시기에도
마찬가지였지만, 유달리 쓸쓸했고 A351 고속도로는 오가는
차량 없이 버려진 채였다. 하지만 미행이나 그 어떤 다른
위협요소가 보이지 않았는데도 그의 마음은 초조하기만
했다. 한시간 남짓이면 자르켄트에서 트레일러를 버리고
국경을 넘기만 하면 되었는데 마치 보이지 않는 적이
자신을 앞뒤로 조여오는 듯 불안했다. 백미러에서 잠깐씩
눈을 뗄 때는 스마트폰을 봤는데, 명철의 것과 비슷한 화면
위에 황색 점이 깜빡거리며 움직이고 있었다.

"Мы не можем двигаться быстрее (My ne mozhem
dvigat′sya bystreye, 좀더 빨리 갈 수 없소?)"

더듬거리는 러시아어로 그는 운전대를 잡은 보리스에게 더 빨리 갈 수 없느냐고 재촉했고, 후자는 마치 제갈의 말을 못 들은 듯, 아니 아예 그의 존재가 없는 듯 무시하고 차창을 열어 침을 뱉은 후 담배를 하나 꺼내 물었다. 불을 붙이자 부패한 음식물을 태우는 듯한 역한 냄새가 났다.

***

같은 시각 제갈의 트레일러 2킬로미터 뒤

"자르켄트 진입 두시간 전이다."

대기조의 무전이었다. 쟝루는 그들에게 시 경계를 넘지 말고 동쪽 출구 부근에서 기다릴 것을 명령했다.

제갈의 계획을 정확히 알지는 못했지만 십중팔구 국경을 넘으려 할 것이었고 그러기 위해서는 그 출구를 반드시 지나야만 할 것이었다. 혹시라도 자신의 예측이 틀리다고 하더라도 트레일러로 움직이는 제갈보다 기동력 있는 자신이 그를 따라잡을 수 있을 것이었다.

"거리를 좁히라우"

유지해 오던 2Km 안전거리를 좁히더라도 도시에 가까와
짐에 따라 교통량이 늘면 자신들의 존재를 눈치채기 힘들
것이라는 게 명철의 생각이었다.

***

두시간 후 A-351 고속도로 500 미터 상공

드디어 문제의 트레일러가 시야에 들어왔다. 그 고도에서는
미니카 정도 크기로 보였다. 카디예프는 제대로 보기도 전에
직감적으로 그것이 자신의 목표물임을 알고 PP90-M1
경기관총부터 고쳐 잡았는데, 수현은 그런 그를 말없이
지켜보다가 오른손 검지를 세워 저지하며 소리쳤다.

"подождите минуту, пожалуйста (podozhdite
minutu, pozhaluysta - 잠깐만!)"

특공대장은 의아한 눈으로 '손님'을 바라봤고, 후자는 방금 세운 손가락으로 전자의 시선을 어딘가로 유도했다. 그 끝에는 타깃 미니카를 쫓고 있는 다른 미니카 두 개가 보였고 그것들 사이의 거리가 가까와 지고 있었다. 두 사람은 헬기 캠으로 미니카들을 클로즈업 해서 현금 밴이 들어있을 트레일러와 그 뒤를 따르는 정체불명의 차 두 대를 확인했다.

"총영사의 콘보이(Convoy) 같소?" 카디예프가 수현에게 묻자 후자는 전자가 예상한 대로 답했다.
"그렇게 보기엔 트레일러와 거리가 너무 멉니다. 후행 차량들이 미행하는 것 같아요."
"타깃을 우리만 쫓고 있는 거 아니었소? 대체 누가?"
"확인하는 방법은 단 한가지 밖에 없지 않겠습니까?"

카디예프는 잠시 뭔가 생각하다가 이어셋으로 뭔가 명령했고 이번에는 그의 부하들이 일제히 총을 고쳐 잡고 장전 손잡이를 당겼다.

***

같은 시각 '베이바스 가즈 (Beybars Gaz)'

자르켄트 시 경계를 벗어나 호르가스 방향으로 A351
고속도로를 타고 10분여 지점에, 즉 곧 제갈의 차가
통과하게 될 자리에 있는 주유소였다. 주변에 뜨문뜨문 낮은
빌딩이나 창고 따위가 보이기는 했지만 거의 버려져 있는
벌판 한가운데 갑자기 솟은 듯이 자리잡은 곳이었는데 그
날도 반나절 가량 손님이 전혀 없었고 주유소 자체도
버려진 듯한 느낌이었다.

호르가스에서 서쪽으로 오고 있던 픽업트럭 하나와 밴
하나가 불법 유턴으로 방향을 틀어 진입한 것은 오전
5시경이었다. 총 8개의 주유구 중 고속도로 쪽을 향하고
있는 1번과 4번 주유구 옆으로 픽업과 밴이 각각
주차했고, 전자에서는 두 명이, 후자에서는 네 명이 하차
했다. 모두 남성이었고 픽업에서 내린 40대 한족을 제외한
나머지는 2~30대 위구르족들이었다. 대장인 듯한 40대가
밴에서 내린 자들 쪽을 슬쩍 한번 쳐다봤고 네 명 중 두
명이 즉각적으로 편의점을 겸한 주유소의 사무실 쪽으로
성큼성큼 걸어갔다. 그리고 그들이 들어갈 때 'OPEN'

이었던 사무실 푯말은 5 분후 그들이 나올 때는
'CLOSE'로 바뀌어 있었다.

쟝루의 요청으로 출동한 이 병력의 대장은 항주무역공사의
마량(馬良) 이었다. 현역 시절 쟝루의 상관이었던 그는 중국
흑표 특수부대 출신으로 많지 않은 나이에 벌써 아프리카,
아프가니스탄 등 전세계를 누비며 20 여년간 다양한 작전을
펼친 베테랑이었고 특히 중국 신장지역에서 7 년 이상
작전을 수행한 경험이 있었다. 30 대 중반까지는 공격부대
(Assault force)를 맡아왔지만 최근에는 후방지원 임무로
전환하는 중이었다. 다만, 그 날은 다른 작전을 마치고
우연히 부근에 있었고, 쟝루의 개인적 부탁도 있고 해서,
이례적으로 매복의 미션을 수행하고 있었다.
그는 사무실을 접수하러 들어간 두 명을 제외한 나머지 세
명이 밴 안에 있던 총기와 장비를 픽업트럭 적재함으로
옮겨 정렬시키는 것을 바라보고 있었다. 세 명 모두 중국제
QSZ 계열 피스톨을 힙홀스터(Hip Holster)에 차고 있었고
각각 CS/LS 06 경기관총(Submachine gun) 1 정, QBZ-
95 스탠다드 이슈 불펍(Bullpup) 소총 2 정, 그리고 중화기
1 정을 늘어놓고 있었다. 맨 마지막으로 나온 PF-98 다목적
로켓발사기를 보며 약간 오버킬(Overkill)이 될지도

모른다고 생각하면서 그는 위성전화기를 들어 짧은
메시지를 하나 전송했다.

"到位(In position)"

마량은 타깃이 접근해 올 때 PF-98을 쏴서 차를 멈추게
하고 기선을 제압한 후 뒤따라 오던 쟝루의 일행을 도와
남은 적들을 마무리하고 '목표를 달성'하도록 할
작정이었다.

***

'жаркент(Zharkent, 자르켄트)'

트레일러는 거대한 조형물로 장식된 도시의 입구를 지났다.
하지만 먼지를 잔뜩 뒤집어 쓴 구소련 시대의 4~5층 짜리
건물들은 입구에서 주는 기대에 부응하지 못했다. 이른
아침이라 그렇지 않아도 사람이 별로 없는 도시의 거리에는
쥐새끼 한 마리 없었다.

A351은 그대로 도시를 서에서 동으로 관통하므로 멈추지 않고 간다면 수십 분 내에 통과할 것이었지만 제갈은 살짝 디투어(Detour)해야 했다. 뜬금없이 보리스는 그 도시 어딘가에는 130년전 쯤 지어진, 중국식 지붕을 이고 있으며 '못 없이 지어진' 모스크와 비슷한 시기 지어졌다는 러시아 정교 교회와 소원을 빌면 이루어진다는 신령한 나무가 공존하고 있다는 이야기를 하고 있었지만, 제갈의 눈에 도시는 그냥 카자흐의 다른 지방 소도시와 마찬가지로 한적하고 지루했다. 빠른 러시아어를 완전히 이해하기 힘들기도 했고, 그런 이야기에 주의를 기울일 마음의 여유도 없었다. 어느새 트레일러는 A351을 벗어나 한 왕복 4차선 도로로 우회전 했고 얼마 지나지 않아 한 카센터 앞에 정차했다. 보리스가 먼저 내렸고 제갈도 따라 내렸다.

"ياخشمۇسىز؟(안녕하세요?)"

빵모자에 턱수염만 기르고, 챠판(위구르식 두루마기) 안에 목부분이 알록달록하게 장식된 셔츠를 받쳐입은 한 사내가 카센터 건물에서 나오며 말을 걸었다. 제갈은 알아듣지 못했으나 사내의 표정으로 미루어 인사를 건네고 있는 것임을 짐작해 자신은 중국어로 인사하자 상대방도

중국어로 대꾸했다. 복장과 발음으로 봤을 때 상대는
위구르인이었다. 카자흐 내에서 중국에 가장 가까운 도시 중
하나인 자르켄트에는 가장 큰 위구르 커뮤니티가 있었다.
제갈은 그 사내에게 뭔가를 지시했고 후자는 차고 중
하나의 셔터를 올렸다. 라다그란타(Lada Granta) 세단 한
대와 스즈키 하야부사 (Suzuki Hayabusa) 바이크 한 대의
모습이 보였다. 라다에는 이미 무장 병력 세 명이 타고
있었고 위구르인은 동료가 건넨 AK 소총을 뒤로 각개 메어
하고 바이크에 올라탔다. 자신의 요청에 따라 준비된
병력들이었다. 그러는 사이 한 카자흐인이 보리스가
컨테이너에서 현금밴을 끄집어내도록 도와준 뒤 트레일러
운전석에 올라탔다.

"이봐, 이거 얼른 끝냅시다. 돈 빨리 쓰고 싶단 말이오."

보리스는 밴의 조수석쪽 창을 열고 고개를 내민 뒤
소리쳤고 제갈은 그 말을 듣고 모처럼 미소 지으며 차문을
열었다.

'탕! 탕!'

보리스는 정면을 보고 문닫는 소리가 들리면 기어를 넣으려
준비하고 있었기에 문을 열고 들어오는 제갈의 오른 손이
등뒤로 가 있음을 눈치채지 못했고 그 손이 모습을
드러내고 그 끝에 들려 있는 S&W 리볼버(Revolver)가
불을 뿜었을 때는 이미 늦은 다음이었다.

"냄새나는 싸이코 새끼!"

제갈은 리볼버를 다시 뒷춤에 꽂고 손을 뻗어 운전석 쪽
문을 연 뒤 왼쪽 머리가 날라간 채 핸들에 기대어 있는
보리스를 두 손으로 힘껏 밀어 땅바닥에 떨어뜨렸다.

스즈키와 라다가 앞서고 현금밴은 그 뒤를 따르는
콘보이(Convoy)는 A351을 향해 우회전했고, 이제
비어버린 트레일러는 좌회전 했다.

***

현금밴 뒤로 견인차의 모습이 보인 것은 제갈이 자르켄트
시경계를 거의 벗어날 무렵이었다. 그는 백미러를
주시하면서 무전기를 들었다가 상하행선이 합쳐지는 지점에

고장 차량인 듯한 미니버스가 한 대 보이자 내려놓았다. 만약 견인차 뒤로 낯익은 검은색 SUV를 봤다면 무전기를 내려놓지 않고 바로 용병들에게 긴급 신호를 보냈을 것이었지만..

***

수현과 카디예프가 하늘에서 제갈이 트레일러를 버리는 과정을 모두 지켜봤기에 이제 Mi-24 헬기의 타깃은 트레일러가 아닌 현금밴이었다. 타깃이 동쪽 시경계를 벗어나면서 이상한 긴장감이 돌기 시작했다. 좀 붐비는 듯했다가 다시 한산해진 고속도로 위에 현금밴과 그 호위 차량들과 그들을 쫓는 두 대의 차량이 현저히 눈에 들어왔다.

***

'어? 저 차는..'

무사히 국경을 넘을 생각만 하고 있던 제갈의 눈에 낯익은
견인차가 다시 들어왔다. 그 뒤로 전체의 모습이 보이지는
않았지만 이제 검은 색 SUV 도 보였다.

'이런 젠장…'

그리고 그가 일행들에게 무전을 치려던 순간, 전방을
호위하던 바이크에 탄 위구르인이 갑자기 고개를 젖힌 채
오토바이 뒤로 나가 떨어지면서 스즈키하야부사만
전속력으로 앞으로 달리다가 넘어져서 길 위를 미끄러져
나갔고, 동시에 길 우측에서 날아온 로켓이 전방의 라다
앞쪽 밑부분에 작렬하면서 차는 옆으로 두 바퀴를 굴렀다.
제갈은 급 브레이크를 밟으면서 핸들을 틀었지만 이미
전속력으로 달리고 있던 터라 차는 관성을 이기지 못하고
전복되어 옆으로 한바퀴 반을 굴렀다.

얼마나 정신을 잃었을까 제갈이 눈을 떴을 때 정면에는
금이 간 앞유리창을 통해 뒤집어진 라다로 접근하는 네
명의 사내들의 다리가 누워서 TV 를 볼 때 그러하듯

밑으로부터 시야에 들어왔다. 훈련된 움직임으로 보아
자신의 동행들과 같은 용병들인 듯했다. 그 중 한 명이
뭔가를 깨진 창문을 통해 라다 안으로 던져 넣고 그들은
모두 잰 걸음으로 물러 났고 이내 차는 폭발했다.

제갈은 놀라지도 못하고 다시 정신을 잃었다.

***

제갈 일행이 무력화되었음을 확인한 명철은 마량에겐
누워있는 밴을 견인차로 일으켜 세울 것을, 쟝루에겐 그런
다음 플라스틱 폭약으로 외교봉인을 날려버리고 적재함을
열 것을 지시했다. 방탄 철판과 무엇보다 꽉 채워진 돈다발
때문에 무거울 줄 알았던 밴은 의외로 그다지 크지 않은
견인차에 의해 가뿐하게 바로 섰다. 서스펜션을 비롯한 차
하부가 크게 상하지 않아 돈을 확인하고 다시 봉인하고
나면 그대로 몰고 중국 국경을 넘을 수 있을 것이었다.
쟝루는 익숙한 동작으로 봉인 부분에 매직 클레이 같은
폭약 덩어리를 적당히 떼어 붙이고 원격 기폭을 위한 챠지
(Charge line)를 설치했다. 완전히 준비가 끝났을 때 그는

명철을 보고 고개를 끄덕였고 일행은 일제히 밴
뒷쪽으로부터 5~10미터씩 안전거리를 두기 위해 흩어졌다.
'펑!'하는 소리와 함께 봉인이 날아가자 모두 일제히 거리를
좁혀 적재함 앞으로 다가왔고 명철은 얼굴도 찌푸리지 않고
남은 폭연을 손부채질로 쫓은 뒤 적재함 문을 활짝 열었다.

***

"으잉, 이거이 뭐이야?!"

수백 킬로미터를 추격해 마침내 뚜껑을 연 남조선의
보물상자는 텅텅 비어 있었다. 명철은 당장 운전자를 끌어내
자신의 앞으로 데려오라고 명령했고 그의 성난 목소리는 빈
적재함에 공명되어 들렸다. 쟝루는 적재함이 빈 것이 자신의
잘못인 듯, 마치 그 죄를 한시라도 빨리 운전석에 앉아있는
자에게 전가 시키기라도 하고 싶은 듯 잰 걸음으로
운전석으로 가 제갈을 끌고 나왔다. 몸수색 후 발견한
리볼버 권총은 자신의 허리춤에 꽂고 두 손을 뒤로 포박한
뒤 명철 앞에 세웠다.

"오데있나?" 명철의 말에 제갈은 눈을 꿈뻑거렸다.

"그 많은 돈이 다 오데로 갔나 말이다, 이 간나새끼야!"
그는 백두산 권총을 꺼내 명철의 두 눈 사이를 겨냥하며
다시 말했다.

"무슨 말씀이신지…" 끝내 명철은 권총 손잡이 끝으로
제갈의 관자놀이를 가격했고 후자는 힘없이 길바닥에
쓰러졌다.

"일으키라." 명철의 명령에 쟝루는 쓰러진 제갈을 다시
일으켜 세웠다.

"내 다시 아이 묻겠다. 돈은 오데 있나?" 아직 관자놀이의
통증때문에 얼굴을 찌푸리면서도 제갈은 살짝 입꼬리를
올렸다. 명철의 총 끝은 이제 분노로 떨리고 있었다.

"이봐, 이거 전쟁도발 행위야. 당신이 지금 대한민국
외교관을 어떻게 하겠다는 거야?" 허세인지 아님 믿는
구석이 있는 건지 제갈은 당당하기 그지 없었고 명철은
당장이라도 방아쇠를 당길 듯했다. 이제 쟝루가 명철의
눈치를 보기 시작했고 분위기를 파악한 마량이 말리기 위해
멀리서 달려오고 있었다. 제갈은 자신의 이마를 명철의
백두산 권총 총구에 갖다 대며 다시 말했다.

"쏴 보라고 이 씨발놈아! 나 외교관이라니까. 너 말투를
보니 어디서 온 놈인지 대충 알 것 같은데 지금 남한이랑
전쟁하자는 거야?"

제갈은 자신에게 총구를 겨누고 있는 자가 북한 정찰총국
요원인 것까지는 알지 못했지만 적어도 방아쇠를 당기기
위해 누군가에게 허락을 받아야 하는 현장인력이라는 점에
대해서는 확신했고 고막이 나가 귀에 웅웅거리며 들리는
소리에 북한 억양 뿐 아니라 중국어도 들려오는 것으로
미루어 돈을 노리는 자들이 어떤 자들인지 대충 짐작할 수
있었다.

"이…이 간나새끼!"

명철의 눈빛은 분노에서 싸늘한 결의로 바뀌기 시작했고
쟝루와 마량은 눈치채고 어떻게 말려야 하나 시선을
교환하고 있었다. 그 때 였다.

'타앙, 타앙!'

***

카디예프와 수현은 300 미터 상공에서 모니터로 상황을
지켜보고 있었다. 밴과 그것을 호위하던 콘보이(Convoy)가
순식간에 미행하던 차량과 전방 주유소에 매복하고 있던
자들에게 장악되고 이어서 밴 안에 있던 자가 끌려 나와
결박 당한 채 밴을 공격한 세력의 리더와 대치하고 있는

상황. 후자가 피스톨을 전자의 머리에 겨누다가 내려쳐
쓰러뜨리고 다시 일으켜 세운 후 겨누고 있는 상황까지.

"준비 완료!"

카디예프의 저격수가 오픈 된 헬리콥터 측면의 거치대에
Sako TRG 42 스나이퍼 라이플 (Sniper Rifle)을 걸친 채
아래 쪽을 겨냥하고 있었고 적외선 스코프의 크로스헤어
안에는 한 남자의 머리가 보였다. .308 윈체스터 규격의
탄환은 1500 킬로미터 밖의 타깃도 맞출 수 있는데 현재의
타깃은 고작 5~600 미터 밖에 떨어져 있지 않았다.

"θρт! (fire!)"
'타앙, 타앙!'

***

첫 발은 가슴이었고, 약간 간격을 두고 두번째는 머리에
적중했다. 총소리가 난 후, 실제 가슴에 구멍이 뚫리고
머리통의 3/4 이 날아갈 때까지 1 초 이상의 시간이 있기는
했지만 명철이 총알을 피하기에 충분한 시간은 아니었다.

제갈은 방금 전까지 자신의 머리에 총을 겨누던 손의
모체가 되는 몸이 파괴되어 나무토막처럼 쓰러지는 광경을
넋을 잃고 보고 있었다.

이내 촘촘히 세워진 수직의 철제 난간을 나무 몽둥이로
빠르게 훑는 듯, 구경이 큰 기관총 소리가 들려왔다. 마량의
머리가 터지며 핑크색 수증기로 변했고 멍하니 그걸
바라보던 쟝루의 가슴 한복판에도 저쪽 편이 훤히 보일만한
큰 구멍이 뚫렸다. 쓰러져 숨이 끊어진 후에도 어리둥절한
표정 그대로 였다. 명철, 마량, 쟝루처럼 그 자리에서
즉사하지 않은 자들은 혼비백산하여 현금밴이든 자신들의
SUV든 견인차든 조금이라도 몸을 가릴 수 있는 엄폐물이
있으면 그 뒤로 숨었다. 그리고 그제서야 제갈은 이
갑작스런 상황 변화의 원인을 알게 되었다. 이제 러시아산
공격용 헬기는 고도를 낮추어 모습을 드러냈고 타고 있던
아리스탄 특공대는 레펠로 하강했다. 내려오면서 항주의
잔당들에게 총알을 퍼부었다. 물론 후자들도 응사를 하기는
했지만 수직으로 이동하는 표적을 맞추는 일은 쉽지 않았고
모두 죽거나 치명상을 입었다.

***

수현은 헬기가 완전히 착륙한 후에 내렸고, 발이 땅에 닿자마자 밴으로 달려갔다. 밴을 중심으로 사주 경계 중이던 아리스탄 병사들은 그를 막았다가 카디예프가 OK 라는 제스처를 보내자 통과시켜 줬다. 이미 상황은 파악하고 있었지만 그래도 자신의 눈으로 직접 확인해야만 했다. 밴 적재함의 문은 이미 열린 채 였는데 역시나 그 안은 텅텅 비어 있었다. 수현의 시선은 밴 옆에 뒤로 두 손을 묶인 채 무릎 꿇고 있는 제갈을 향했고 전자는 후자에게로 다가가 포박을 풀어주고 일으켰다.

"어떻게 된 겁니까?"

"당신은 누구요?"

"대체 밴 안에 있던 건 어디로 간 겁니까?"

"당신은 누구고, 저 군인들은 누굽니까? 난 대한민국의 외교관입니다. 당신들이 누구건 나한테 이렇게 할 권리는 없단 말이에요."

"내가 누군지는 중요하지 않아요. 중요한 건 당신이 곱게 집에 가려면 내 도움이 필요하다는 겁니다. 그리고 내가 당신을 도우려면 밴에 실려 있던 것들에 무슨 일이 일어난 건지 알아야 합니다."

"밴에 실려 있던 건 대한민국의 외교화물이고 북한도,
카자흐스탄도 그 어디도 상관없는 물건입니다. 당신
보아하니 한국 사람인 것 같은데 쓸데없는 거 알려 들지
말고 오해를 풀 수 있도록 날 좀 도와주세요."

수현은 딱하다는 표정으로 제갈을 한참 바라보다가
카디예프에게 눈짓했고 후자는 제갈을 다시 포박하고
헬리콥터로 끌고 갔다.

6장

D-day 알마티 컨테이너 야드

"привет? (privet - 여보세요?)"
"Это я. (Eto ya - 나야.)"

두번째 통화는 러시아어였다. 제갈은 한 포워더
(Forwarder) 회사에 특송 화물을 부탁하고 있었다.
첫번째도 길지는 않았는데 두번째는 1분을 넘기지 않았다.

세번째는 한국어였고 상대방은 우루무치(Urumuqi)
순회영사로 같은 국정원 출신 후배였다.

"강참사관, 나 제갈이야."
"어, 형님이 웬일이세요? 그렇지 않아도 알마티가 어수선해
전화 한번 드리려 했어요. 괜찮으세요? 우리 영사관은 피해
없죠?"

"부탁이 하나 있네." 스몰토크(Small talk)를 좀더 하려던 강은 제갈이 바로 용건으로 들어가기를 원하자 약간 긴장한 듯했다.

"네, 말씀하세요."

제갈은 강에게 '평소에 거래하는' 위구르 조직에게 Convoy service 를 의뢰하고 '특송 화물' 하나를 직접 받아 달라고 부탁했다. 밴을 탈환하는 건 가능하다고 해도 공항이 폐쇄된 마당에 그 차로 국경을 넘는다는 건 자살 행위에 가까웠다. 밴을 되찾으면 돈부터 옮기고 국경을 넘는 다른 수단을 이용할 생각이었다.

"아, 그리고.. 만에 하나 물건이 제 시간에 도착하지 못한다면 내가 찍어주는 번호로 바로 통화를 좀 해 줘."

외교화물이든 제갈의 신상이든 이상이 생긴다면 주 아스타나 대사에게 보고하는 것이 상식적인 일이었다. 따라서 한국의 어떤 휴대폰에, 나중에 알게 될 일이었지만 5 주째 코로나로 인한 자가격리 중인 어떤 여당 정치인에게, 전화하는 것은 비상식적인 일이었다. 하지만 '강'이라 불린 사내는 제갈과 같은 '프로젝트'를 수행하고 있진 않았지만 후자에게 몇년간 이런저런 신세를 진 적이 있고 과거에 '비슷한' 종류의 일도 해본 적이 있던 터라 그가 부탁하는 일에 토를 달 생각은 없었다. 다만, 문제의 금액을 알았다면 달리 생각했을지도 모를 일이었다. 그리고 한가지는 꼭 명확히 해야 해서 그는 마지막으로 물었다.

"형님, 그러니까 특송은 철도로 호르가스를 통해 들어오고 콘보이는 형을 호위해서 자르켄트에서 출발해 고속도로로 국경을 넘는 거죠?"

***

D+1 자르켄트 교전 한 시간 뒤 아스타나

"의장님, 외무부 장관이십니다."

티유베르디 묵타르 (Tileuberdi Mukhtar.) 대통령의 신임이 두터운 카자흐의 외교수장이자 부통령으로 사짐바예프에게는 가장 가까운 동지이기도 가장 무서운 적이기도 했다. 다른 나라에서도 그러하듯 많은 정보부의 주요 공작원들이 외교관 커버(Cover)를 가지고 해외

공작활동을 수행할 때 해당 지역 공관의 협조 없이는
성과를 거둘 수 없었고, 간혹 작전들이 실패했을 때는
책임을 떠넘기고 뒤처리를 맡겨야 했기 때문이다.
티유베르디…소리나는 대로 발음하면 틸류베르디가 되어야
할 텐데 굳이 L을 묵음으로 발음하는 것부터 까탈스러운
성격이 드러나는 이름의 주인이 아침부터 전화를 했다는
것은 그에게나 혹은 자신에게, 아니 그보다는 자신에게
절대 좋은 일일 수 없었다.

"어이구, 부총리 동지 어쩐 일로…"
"대한민국 대사한테 방금 전화를 받았는데, 뭐 그럴 리는
없겠지만, 혹시 알마티 총영사의 신병을 그 쪽에서
확보하고 있소?"
"에이, 그럴 리가 있겠습니까?"
"뭐 나도 그렇게 답은 했소만… 실례 했소. 애시당초
아흐멧에게 전화 했어야 할 일인데…그래도 혹시 관련
정보가 들어오면 나한테 가장 먼저 알려주기 바랍니다."
"물론입니다."

아흐멧은 내무부 장관 아흐멧자노프 마라트 무라토비치
(Akhmetzhanov Marat Muratovich)를 말하는 것이었는데

검찰에서 잔뼈가 굵은 아주 샤프한 인물이었다. 외교 화물을
빼앗고 빼앗기는 과정은 모두 시위대의 소행으로 치부할 수
있는 일이었던 반면 재탈환하는, 아니 재탈환을 시도하는,
과정은 혹시라도 목격자가 있었다면 누가 봐도 명백한
군사작전이었고 과거에 KNB가 국내에서 작전을 했다가
잘못되어 책임자가 법정에서 처벌을 받았던 적이 있었기에,
아흐멧이 휘하에 있는 경찰력을 동원하여 제갈성을
찾는다는 것은 찝찝하기 짝이 없을 일이었다. 사짐바예프는
보안회선으로 카디예프에게 전화를 걸었다.

"네, 의장님." 카디예프는 아스타나로 향하고 있는 헬기
안에서 전화를 받았다.
"돈은 되찾았나?"
"…아직 입니다. 다른 루트로 빼돌린 것 같습니다. 하지만
알마티 총영사의 신병은 확보했으니…"
"아직 돈의 위치조차 파악 못했다고?! 그 자의 입을 못
열었단 말이야?"

"외교관 면책특권을 주장하며 입을 굳게 다물고 있습니다.
하지만 강화심문법 (Enhanced interrogation)을
사용하면…"

"이봐 미쳤어?! 상대방은 정식 수교국 외교관이야. 고문은
커녕 털끝 하나 건드려서는 안돼. 그리고 한국에서 이미
뭔가 냄새를 맡았네."
"어떻게 그럴 수가…"
"어쨌든 아스타나 근처로 올 생각하지 말고 알마티에서
풀어주라고."
"그럼 임무는…"
"그건 자네가 알아서 할 일이야. 전문가는 자네 아닌가?
24 시간 안에 해결하도록!"

사짐바예프는 카디예프의 대답을 듣지도 않고 전화를
끊어버렸다.

"Иттің баласы (Ïttiñ balası, 이런 빌어먹을!)"
"Почему (Pochemu, 왜 그럽니까?)"

카자흐어를 잘 모르는 수현도 사람들이 많이 쓰는 욕은
들어 익히 알고 있었고 방금 누구랑 통화를 한 건지도 대충
짐작을 했기 때문에 굳이 물을 필요도 없었지만,
카디예프도 애써 대꾸하지 않았다.

***

카디예프는 알마티에 착륙하자마자 사짐바예프의 명령대로
제갈을 풀어줬고, 처음엔 풀려난 자도 풀어준 자만큼이나
당황스러워 했다. 하지만 십분 정도 후 어떻게 된 일인지
이해가 가기 시작했다.

"저, 형님, 아니..제갈 총영사님, 어떻게 된 겁니까?"

도청을 우려하여 알마티 시내에서 유심(USIM)칩부터 새로
구매한 제갈은 우루무치 순회영사에게 제일 먼저 전화했고
자신의 의도대로 상대방에게 화물이 전달되지 않았음을
알았다. 그리고 그 상황이 서울의 '형님'과 청와대
외교안보수석을 거쳐 주 아스타나 대한민국 대사관에
보고되었고, 대사가 카자흐 외무부 장관에게 연락을 해서
자신이 풀려나게 되었음을 짐작했다. 대사는 제갈 입장에서
딱히 자기 편이라고 볼 수는 없었지만 궁극적으로는
선명훈의 사람이었고 무엇보다 자신의 관리 하에 있는
외교관의 신상에 일이 생긴다면 이유가 무엇이든 자신의
책임이 되리라는 걸 잘 알고 있었다. 제갈은 사후적으로
알마티에서 벌어진 일련의 상황에 대해서 문책을 당할 수도

있음을 모르는 바는 아니었지만 현금 15 억불을 옮기는
일을 실패할 경우에 비할 바는 아니었다.

카디예프는 물론 제갈에게 미행을 붙였고 그 사실을 제갈도
잘 알고 있었다. 제갈은 어딘가로 두번째 전화를 걸었다.

"그의 통화를 엿들을 방법은 없는 거요?" 답답해 하며
수현은 카디예프에게 물었고 후자는 고개를 저었다.
"지금 제갈에게 붙인 미행조 중 한국어를 아는 사람은
있소?" 카디예프는 아예 대꾸도 안 했다. 15 분 후 부하의
연락이 왔다.
"표적이 차에 탑승합니다."
"택시?"
"아니요 SUV 입니다."
"번호판 조회 의뢰하고 따라 붙어!"
"네 알겠습니… 앗!"
"무슨 일이야?"

부하는 답이 없었고 뚜우뚜우하는 신호음만 들렸다.

***

카디예프는 수현과, 대기 중이던 부하 네 명과 함께 제갈이
픽업된 장소로 급히 차를 몰았다. 아직 군데군데 시위가
있었기에 교통흐름은 좋지 않았지만 살리코프는 생각보다
빠른 속도로 제갈이 유심칩을 사고 전화를 걸던 인터넷
카페로 차를 몰았다. 카페보다 그 옆에 사람들이 모여
웅성거리는, 그 뒤에서 검은색 연기가 오르고 있는 현장에
먼저 눈길이 갔다. 평소 같으면 현장을 통제하고 있어야 할
경찰들은 시위들로 미루어 볼 때 충분히 예상할 수 있는
이유로 많이 바쁜 듯 그림자도 보이지 않았다.

"이 … 이런 제기랄!"

한 때는 자동차였던 큰 숯덩어리 안에는 그 맘 때
사람이었던 두 개의 작은 숯덩어리가 있었고 카디예프는
잠시 이성을 잃어 피스톨을 꺼내 들고 구경군들을 위협하여
쫓아버렸다.

대통령 궁에서 이미 다섯 명의 부하를 잃었었다.
자르켄트에서 명철과 항주 용병들을 처치하면서 어쩌면 그

복수를 했을지도 모른다고 생각했었는데 또… 이제 더이상
이 작전은 카디예프에게 단순한 임무가 아니었다.

"당신은 이제 빠지시오."

들릴 듯 말 듯한 낮은 소리로 카디예프는 수현에게
이야기했고 후자는 항변하려 하다가 분노와 광기로
번들거리는 전자의 눈빛을 보고 조용히 한걸음 뒤로
물러섰다. 어쨌든 아리스탄 작전 팀과 헤어지는 건
수현에게는 언젠가 명분을 찾아 해야만 할 계획된 일이었다.

***

D-10 알마티 수현의 아파트

"네, 장군님."
"자네 카자흐스탄으로 좀 와줘야겠어."

상대방은 수현의 뜬금없는 요청이 익숙한 지 전혀 놀라는
기색도 질문도 없었다. 수현은 이야기를 계속했다.

"여행에 필요한 물건들은…"

그는 인천공항의 한 락커룸 번호와 알마티 인근의 한 창고
주소를 알려줬고 상대방은 어딘가에 적지도 않고 바로
암기했다.

"최종 목적지와 미션은 카자흐에 들어오면 적정한 시점에
하달하겠네."
"네, 장군님"
"제수씨, 아드님 모두 안녕하시지?"
"네, 장군님."

용건만 간단히 전달하는 수현도 앵무새처럼 같은 말만
되풀이 하는 상대방도 실로 오랜만에 같이 수행하는 작전에
약간의 흥분을 느꼈다. 비록 완전히 신뢰할 수는 없는
이찬에 의해 시작된 일이고 그가 제공한
프렙(Preparation)에 의존해야만 하는 상황이긴 했지만
성공하면 두사람은 같이 카자흐스탄에서 빠져나오게 될
것이었다. 두사람의 서로에 대한 신뢰는 절대적이었고
10 일후에 알마티 부근에서 랑데부 할 계획이었다.

***

D+1 알마티 시내

"뉘기요?" 낯선 번호였고 불길한 느낌이었지만 왠지
무시해서는 안될 것 같아 정국은 통화를 눌렀다.
"제갈성이오."
"아 이거 총영사 동무께서 웬일로…"

정국과 제갈, 두 사람은 만난 적이 있었다. 임기 초부터
끝을 알 수 없는 판데믹(Pandemic)으로 거의 모든 해외
방문을 중단해야 했던 대통령을 위해, 매년 외교부 장관
이하 전 해외 공관이 '코로나 사태가 끝난다면
대통령님께서..'라는 가정 하에 순방 계획에 수립하곤
했는데, 그 3년차에 비로소 가시권에 들어온 것이
카자흐스탄이었다. 많은 국가 중에 카자흐가 우선순위가
되었던 것은 당시 선명훈에 대한 토카예프의 '도스톡' 훈장
수여가 예정되어 있었을 뿐 아니라 서방 정보기관이나
언론의 감시가 느슨한 편이라 북의 지도자와 만남을 가지기
좋은 장소이기 때문이기도 했기 때문이다.

말하자면 카자흐스탄이 호스트 역할을 맡아 판문점과 싱가폴 이후 세번째로 남북의 최고 지도자들이 같이 시간을 보내는 장면을 연출하고자 했던 것이었고 양국 외무장관들의 회담까지는 무난히 진행되었었다. 정국과 제갈 두 사람은 각각 양국 정보기관을 대표하는 자들로서 협업했었고 만약 알마티의 소요사태, 북의 지속적인 미사일 발사 그리고 대선패배가 아니었다면 아직도 각각 상사들의 의전 등을 위해 머리를 맞대고 같이 바쁘게 일하고 있었을지도 모를 일이었다.

위대한 위원장 동지가 내려준 과업은 분명 회생의 기회였고 그는 그 성패를 알리는 명철의 전화를 기다리고 있던 참이었다. 그래서 명철이 아닌 제갈의 전화가 걸려왔을 때 가슴이 철렁 내려앉았다. 더욱이 제갈이 다음으로 뱉은 말은 오른 쪽 뒷머리에 못이 박히는 듯한 충격을 느끼게 했다.

"당신 부하들 다 죽었어요."

둥글둥글한 외모와 다르게 제갈은 '당신 부하들'의 죽음이 자신에게는 카자흐 유목민들의 저녁 식탁을 위해 도살되는 염소들의 죽음과 전혀 다를 바 없다는 일상적인 말투로 선언하듯 말했다. 물론 그럴 만한 이유는 충분했고 그에 대해 정국도 할 말은 없었다. 하지만, 명철이 10 분 보고 사이클을 놓친 지 다섯번쯤 되었을 때 어느 정도 짐작은 했다고 하더라도, 명철의 타깃에게 상황에 대해 확인 받는 것은 진정 예상하지 못했던 일이었다.

"허허 그렇다면 일없으실 텐데 어째 전화를 다.."
"연대합시다."
"련대?"
"우리의 돈을 찾는 일입니다. 민족의 통일을 진정 원하고 이룰 수 있는 사람들이 수년동안 모아 둔.."

련대… 남한의 인간들은 참 웃긴다고 정국은 생각했다. 민족의 통일을 위한 돈? 정권 재창출을 위해 수단과 방법을 가리지 않고 조성한 비자금을 참 멋지게도 포장하고 있었다.

"동무, 이렇게 전화까지 해서리 내 부하들 소식까지 알려주는 건 고마운 일이오만, 거 '련대'할 상대를 찾는다면 과연 내가 적합한지는 모르갔소. 나를 어찌 믿을 거이며 나는 동무가 나를 믿는다는 걸 어찌 알 수 있단 말이오?"

"우리 한민족 아닙니까? 차장님이 왜 부하들을 보내 돈을 빼앗으려 했는지 정확히는 몰라도 짐작은 갑니다. 말씀대로 갑자기 서로 믿는 동료가 되는 건 무리겠지만 먼저 같이 민족의 돈부터 지킨 다음 의견 차이를 좁히는 게 통째로 외국에 빼앗기는 것보다 낫지 않겠습니까?"

"거 같이 카자흐 놈들과 싸우자는 이야기라면 사양하갔소."

"아닙니다. 돈은 나한테 있습니다. 다만 좀 먼 곳에 있어 가지러 가야 하는데…"

"가야 하는데…?"

어딘가에 숨겨놓고는 다시 찾을 수단이 없는 건가?' 어쨌든 정국에겐 기회임이 틀림없었고 아직 희망이 불꽃이 꺼지지 않았음에 그는 내심 안도했다.

"거 재밌는 양반이구만..기래 거 뭐 련대라는게 뭔지 모르갔소만 내래 뭘 해주길 바라는 거요?" 생사고락을 같이 한 명철을 생각하면 제갈과 만나는 대로 이마에 총구멍을 내주고 싶었지만 지금은 먼저 '평양으로 돌아가는 마지막 티켓'을 살리는 게 우선이었다.

"일단 차를 하나 보내주세요. 그리고.."

제갈은 자신에게 붙어있는 카자흐 정보부의 미행을
털어내야 한다는 것도 이야기하고 있었다. 정국은
전화번호를 하나 눌렀다. 항주무역공사가 있는 베이징도,
평양도 아닌 알마티 지역 번호였다.

***

알마티몰(Almaty Mall) 뒤 물류창고

수신자는 꽤 큰 창고 한구석에 임시로 꾸민 듯한
사무실에서 담배를 피우고 있었다. 발신자가 누군지 알고
반색하면서 이야기를 시작했다가 이내 심각한 표정이
되었다.

"조카님, 조카님이 날 좀 도와줘야갔소."
"말씀만 하십쇼."
"사람 하나 찾아 데레와주오."
"살려서? 아니면 죽여도 되는.."
"아아 기칸 거 아니고, 허허 복잡할 거 없소. 태우러 가면
알아서 탈 거이야."

그러면 택시를 태우지 굳이 자신같은 사람에게 이야기 할 필요가 뭐 있냐고 대꾸하려는데 마치 그런 생각을 읽기라도 한 듯 정국이 이유를 이야기 했다.

"좀 귀찮게 꽁지에 달라붙는 간나새끼들이 있어서 조카님이 까부수고 그 사람을 데레와 줘야 갔어."

조카라 불렸던 사내는 알마티 아니 카자흐 최대의 고려인 마피아 두목 아슬란이었다. 정국에게는 조카 뻘이 된다는 다소 불명확하지만 엄연한 친척 관계였을 뿐 아니라, 무엇보다 가끔 별로 어렵지 않은 그러나 꽤 짭짤한 일거리를 주는 고객과 업자 관계이기도 했다. 정국이 무탈하게 카자흐 국경을 넘은 것도 다 그의 덕이었다.

아슬란은 토요타 랜드크루저(Land Cruiser) SUV 한 대와 타코마(Tacoma) 픽업트럭 한 대를 준비했고, 각각 세 명씩 AK와 권총으로 무장한 부하들을 태운 다음 자신은 트럭 조수석에 탑승했다. 그리고 '설마 이걸 쓸 일이 있겠어?'라 생각하면서도 적재칸에 탄 두 명에게 수류탄과 유탄발사기까지 준비하도록 했다.

7장

카자흐스탄과 중국을 연결하는 KTZE-Khorgas Gateway
Dry Port는, 중앙 아시아 국가, 터키 및 페르시아만
국가를 통과하여 중국과 유럽 시장을 연결하는,
카자흐스탄의 가장 중요한 운송 및 물류 중심지였다.
2015년에 설립되어 총 129.5 헥타르의 면적으로
중앙아시아에서 가장 큰 게이트웨이이자 세계에서 가장 큰
드라이포트가 되었다.
Khorgas Gateway의 경계 너머에는 신장(Xinjiang)의 Ili
Kazakh 자치주에 위치한 중국 도시인
霍尔果斯(휘얼궈스)가 있는데 두 도시는 이름은 같았지만
철로의 규격은 달랐다.
구소 연방국인 카자흐스탄은 러시아의 넓은 게이지 (1,524
mm)를 사용하는데 중국은 1,435mm의 서유럽 표준
게이지를 사용하므로 양국간 화물이 국경을 넘을 때 다른
웨건(Wagon)을 사용해야 했다. 다양한 화물 작업
중에서도, 천산산맥의 만년설을 배경으로 평행선을 그리는

다른 규격의 두 철로 위로 거대한 갠트리크레인(Gantry crane)이 카자흐의 컨테이너를 들어 중국 웨건에 싣거나 그 반대의 작업을 수행하는 모습은 뭔가 상징적이기 까지 했다. 이 지역에는 20 피트 컨테이너 (1 TEU) 18,000 개 이상을 저장하기 위한 임시 야적장, 총 면적이 10,000 제곱미터인 저장 창고 2 개 및 특수 장비의 수리 및 유지 보수를 위한 자체 작업장이 있어 24 시간 작동하며 하루에 24 대의 열차를 보내거나 받을 수 있었다. 소비재, 금속, 화학, 대형화물, 지하철, 전기 자동차 – 실로 모든 종류의 재화가 국가 간에 운송되고 있었다.

문제의 컨테이너는 임시 적재 장소 한 구석에 이미 하적되어 있었다. 대한민국 외교부 훈령 제 16 호 '외교행낭 및 신서사 운영 지침'에 따라 '재외공관 운영 및 대외교섭 업무수행 상 필요한 공문서 및 자료' 혹은 '보안유지 상 필요한 서신 및 기타 용품' 또는 '업무연락 서신' 혹은 '기타 외교부장관 및 재외공관장이 특히 필요하다고 인정한 사항'이 국경을 넘는 일은 흔한 것이었지만 그 물량이 20 피트 컨테이너 하나를 가득 채울 정도인 일은 그렇지 않았다. 다만, COVID 19 의 창궐로 '기후, 생활조건이 현저히 불리한 특수지역의 공관운영 및 직원의 근무에

필요한 의약품과 필수품에 대하여는 외교부장관이
필요하다고 인정하는 경우'일 수도 있었기에 통관에 특별한
이슈가 있을 이유는 없었다.

"Сәлеметсіз бе (Sälemetsiz be, 안녕하세요?)"

카자흐 세관의 관리들도 자신을 '제갈성'이라고 소개한 이
예의 바른 중년의 한국 외교관이 합법적 외교여권의
소지자이며 '운송장 번호, 중량 및 수량과 행낭등급' 관련
서류의 원본을 가지고 있기에 특별히 이슈를 제기할 이유는
없었다. 기껏 알마티에서 기차로 국경까지 운반한
컨테이너를 '착오가 있었다'며 회수한다는 건 전문
외교관으로써는 좀 우스꽝스러운 짓이었지만 국경을 넘지
않는 한 그들이 뭔가 걱정하거나 책임져야 할 일은 있을 수
없었기 때문이다.

"장군님, 김부장입니다. 물건은 회수했습니다."
"수고했네. 알마티에서 보자고."
"정해주신 장소에 모시러 가겠습니다."

'제갈성'이라고 자신을 밝혔던 외교관이 컨테이너를
실어가면서 직접 몰고 온 트레일러 운전석에서 한 통화
내용을 누군가 알았다면 왜 그가 자신을 '김부장'이라고
밝혔고 통화의 상대방인 '장군'이란 누구이며 무엇보다 왜
군이 '물건'이라는 표현을 쓰는지 … 따지고 보면 궁금할
일도 많았지만 무엇보다 김부장이 알마티에 진입하기 전에
한 창고에 들러 외교 봉인까지 해제하고 이미 돈으로 반쯤
차 있는 컨테이너에 다른 물건을 넣어 꽉 채운 뒤 다시
봉인해야 하는 이유만큼 궁금할 일은 없었다.

***

4시간 후, 알마티

"김부장 수고 많았다. 여기서 이렇게 다시 얼굴을 보게 될
줄은 몰랐어. 좋구만."

부장과 장군. 부장과 상무 혹은 장군과 사관이 아닌 부장과
장군은 회사와 군대, 군과 민간이 섞인 이상한 조합이었다.
하지만 두 사람의 유대는 그 어떤 조직에서도 형성되기
어려운 수준으로 끈끈했다. 십년 전 수현이 한 방산회사의

CEO로 일하고 있을 때 김상사는 부장으로 그 회사에
입사했었다. 수현은 그렇지 않아도 고인물 투성이에 여러
개의 파벌이 경합하고 있던 조직을 비현실적으로 빠른 시간
내에 장악해 갈 계획이 있었고, 김상사 아니 김부장은 그
계획 수행의 핵심인물 중 하나였다. 그 전의 이십여년
가까운 군 생활을 통해 항상 수현의 곁을 지켜온 믿을 수
있는 부하였을 뿐 아니라 HID 아니 국군정보사
특무사관으로 수현이 필요로 하는 특별한 능력을 가지고
있기도 했다.

신뢰와 충성이 결코 한 방향이기만 한 것도 아니었다.
김부장에겐 심장기형으로 해외에서 어려운 수술을 받아야만
하는 아들이 하나 있었는데 수현이 자신의 영향력과
네트워크를 동원해서 그 수술을 할 수 있는 의사와 병원을
섭외하고 수술비를 부담해줬다. 아무런 대가도 요구하지
않았지만 이후 김부장은 수현의 말이라면 거절하는 일이
없었다. 합법적인 일이건 아니건.

그리고 수현이 아직 도망자 신세였던 동안 서울에서 의사로
일하고 있던 그의 딸 미연이 우연히 중국인들에 의해
위험에 처했을 때, 이번에는 김부장이 그녀의 목숨을
지켰다.

"미연씨는 가끔 들여다 봅니다."

김부장이 방금 이야기한 것이 간헐적 안부전화나 방문이
아닌 경찰에 의한 증인보호 프로그램보다 훨씬 정교한
감시시스템과 인적 경호를 뜻하는 것임을 수현은 잘 알고
있었다

"고마워. 자네를 믿고 내가 눈을 감고 자"
"타슈켄트는 ETA (Estimated Time of Arrival)
22:30 입니다. 지원 병력은…"
"김부장, 나 여친 생겼다." 마치 현역 장성에게 브리핑 하
듯 본론으로 들어가다가 뜻밖의 이야기를 기습적인
타이밍에 들은 김부장은 살짝, 아주 살짝 움찔했다.
"그 때, 우리 마누라 죽었을 때 말이야. 자네가 나대신 그
사람 장사(葬事) 지내줬잖아. 내 고마운 마음 말로 표현하기
어려운데… 그래서 다른 사람은 몰라도 자네한테는
얘기해야겠다고 생각했어." 수현의 복잡한 마음을 헤아리는
듯 김부장은 보일 듯 말 듯 고개를 끄덕였다.
"후후, 나 대단하지? 엄청난 미인인데다 마음씨도 참 고와.
자네보다 어리기까지 해." 김부장은 여전히 아무 말
없었지만, 그의 눈가에 희미하게 웃음끼가 보였다.

"그냥 다 잊고 여기 알마티에서 모처럼 삶이란 걸 좀 누려볼 수 있을까 하고 생각했었는데…" 어느새 수현은 아련해 진 눈빛으로 어딘지 알 수 없는 방향을 응시하며 더 이상 김부장이 아닌 누구인지 모를 상대에게 이야기하고 있었다.

"이번 일 끝내고 나면 자네에게 더 이상 연락하지 않을 생각이야." 이번에는 김부장이 정면만 바라보다가 수현 쪽으로 고개를 돌려 다소 길다고 느껴질 만큼 노골적인 반응을 보였다.

"나 같은 놈 가까이 두면 김부장 인생도 내 것처럼 되어 버려. 이번엔 내가 너무 절박해서 연락했지만… 내 미안한 마음 알지?"

"장군님, 저는 그저… 제가 가진 재주라는 게…"

"자네, 뭐든지 할 수 있는 사람이야. 이번 일 끝내고 내가 한몫 챙겨줄 테니 사업을 하든, 언젠가 얘기했던 것처럼 농사를 짓든 해 보라고…"

수현도 김부장도 과연 그렇게 될 수 있을지 생각하며 한동안 말없이 앞을 바라봤다. 처음에는 '그렇게 될 거다. 잘 될 거다'라는 대답처럼 조명이 예쁘게 켜진 번화가도 나오고 깔끔한 신축 아파트 단지도 보이더니 점점 불빛이

뜸해졌다. 결국 트레일러가 멈춘 곳은 거의 암흑에 가까운 한 외곽 도로였고 두 사람은 김부장이 미리 정리해 놓은 대형 캐리어 네 개를 나눠 들고 한 고급 주택가를 향해 걷기 시작했다.

***

미리 수현의 연락을 받은 굴미라는 이미 지정 받은 장소로 나와 자신의 차 옆에 서 있었다. 국가안전국의 경호원들이나 KNB 요원들의 감시를 용케 따돌린 듯했다. 두 사람은 몇 년 떨어져 지낸 사람들처럼 팔에 피가 통하지 않을 만큼 세게 서로를 끌어안았다. 굴미라의 향기가 후각을 통해 수현의 뇌를 마사지해 지난 며칠 동안의 긴장이 풀어지려 할 때 후자는 전자를 살짝 밀어냈다.

"걱정했어요."
"걱정은 후후… 어쨌든 미안해."
"괜찮으신 거 봤으니 일없네요. 근데 이 밤중에 어인 일이세요?"
"내가 급히 어딜 좀 다녀와야 해서 굴미라에게 긴히 부탁할 것들이 좀 있어."

굴미라는 미간을 살짝 찡그리며 수현의 눈을 응시했다.
모처럼 부친인 토카예프 대통령을 연상케 하는 날카로운
눈빛이었다. 수현의 '부탁'은 엄청난 양의 현금을 모두
그녀의 이즈바스틴 재단의 스위스 은행 계좌에 넣었다가
며칠 후 김부장을 통해 전달하는, 역시, 역외계좌와
암호화폐 계좌에 각각 500~1000 만불씩 총 2 억불을
이체해 달라는 것이었다.

"이 큰 돈이 어디로 가는지는 말 안 해 주실 거죠? 아니,
아예 물어서도 안되겠네요. 그렇게 부자이신 줄 몰랐어요."

이제 눈빛에는 의심이 깃들고 표정은 어두워졌지만 본심과
다르게 뭐든 분위기를 좀 가볍게 하고 싶어 그녀는 애써
장난끼 어린 말투로 투정하듯 말했다. 그 마음을 이해하기에
수현의 표정은 더욱 무거워졌다.

이내 둘 사이에 말이 없어지자 김부장은 수현의 마음을
헤아리듯 굴미라에게 차 트렁크를 열도록 하고 가방을 싣기
시작했다. 가방 두 개에 트렁크가 꽉 차 버리자 나머지 두
개는 두 남녀까지 합세해서 뒷좌석에 간신히 꾸겨 넣었다.

수현이 굴미라 쪽으로 몸을 돌려 마주 보려 하자 김부장은
그녀에게 목례한 뒤 말없이 트레일러를 세워 둔 곳으로
걸어갔다.

"미안해. 지금 얼마나 황당할지 상상조차 되지 않지만
전화로 얘기했듯이 내 여행에서 돌아오면 꼭 상세히 무슨
일이 있었는지 이야기해 줄께."
"돌아오시는 거죠? 설명따위 필요 없어요. 돌아와요, 꼭."

수현은 이를 꽉 깨물었다가 입을 살짝 벌렸다. 그녀 앞에서
눈물을 보이긴 싫어서 그렇게 참았다. 하지만 어느새 눈
안에 눈물이 고여 시야가 흐려졌다. 굴미라는 등을 돌렸다.
그녀 또한 눈물을 보이고 싶지 않음이었다. 그 상태로 잠시
있다가 굴미라는 입을 열었다.

"дорогой (Dorogoy, 자기), 전에 카스티예프 미술관에서
그렇게 열심히 보고 있던 그림 기억나요? 혹시 그 작품
제목이 기억나나요? 카자흐어로만 쓰여 있어 못 읽었을지도
모르지만 'Nothingness'였어요. 당신은 거기서 자기자신을
봤다고 했지만 사실 그 그림에는 아무것도 없었어요."

그녀는 독백하듯 수현이 반응할 시간을 주지 않고 계속
말했다.

"당신이 떠나신 후에 저도 눈이 빠지게 그 '형체'를
찾아보려 했지만 정말 아무것도 볼 수 없더군요. 같이 볼
때는 보이는 것 같았는데 … 돌아오면 한번 같이 가요.
그리고 그 그림 속 당신의 모습을 보게 해 줘요."

이제 눈물은 뺨을 타고 흘러내리고 있었다. 수현은 자신의
오른 손으로 그녀의 오른손을 잡고 몸을 돌리려 하다가
포기하고 말했다.

"내 꼭 돌아올 거야."

***

두 시간 정도를 더 달려 트레일러는 한 버려진 마을로
들어갔고 거기서 여덟 사람과 만났다. 다양한 전술장비
(Tactical gear) - 방탄조끼, 야간투시경, M4 계열 소총,
Glock 19 피스톨 등- 를 착용한 특수부대
타입(Type)들이었는데 수현의 유라시안 네트웍스와 계약된
액션 서비스 (Eurasian Networks Action Service,

ENAS)에서 일한 적이 있는 자들 중 한국의 국군정보사 출신으로 엄선된 자 들이었고 상대적으로 나이 든 한두명은 수현이 이름을 아는 자들도 있었다. 이들은 기관총을 탑재한 경장갑 SUV 두 대 - 선두차량으로 현대 팰리세이드 (Palisade), 후미차량으로 기아 델루라이드 (Deluride)- 에 나눠 타고 트레일러의 앞뒤를 호위하며 움직이기 시작했다. 각각 선두는 '새미 (Sammy)', 후미는 '지미 (Jimmy)'라 불린 자가 리더였다.

국군정보사는 미군에 의해 '51 년 창설된 HID (Head quarter of Intelligence Detachment, 첩보분견대 본부)가 그 모체였다. 사람들은 흔히 이들을 UDT/SEAL 이나 707 같은 특수부대의 일종으로 보 고 있지만 사실 엄밀히 말하면 대북 공작을 위해 군정보부에 의해 포섭된 스파이들로 보는 게 더 맞는 시각이었고, 그런 의미 에서 '북파공작원'이라는 이름 또한 일리가 있었다. 다만, 1980 년대말 이후 대북공작이 약화되면서 다소 성격이 바뀌어 전략적 공격부대에 가까운, 즉 GRU(러시아 군정보부)의 해외 공작팀이나 Mossad(이스라엘 정보부)의 Metsada 내지는 Kidon 같은 역할을 수행해 왔다. 기존 실전 위주의 무자비한 훈련방식도 여타 특수부대들처럼 특수 임무의 수행을 위한 체계적 인 방식으로 바뀌어 온 것으로 알려져 있었다.

'북한을 몇 번 다녀오면 집을 산다'는 식으로 외부에 와전되어 온 바와 달리 실제 정보사 출신들은 다른 특수부대 출신들과 달리 사회에 나와 다양한 특수 임무 수행 경험을 이후 경력에 활용하기조차 힘들었는데 그 이유는 정보사에서 이들의 경력을 입증하는 아무런 증빙자료도 제공하지 않았을 뿐더러, 이들의 존재 사실 자체를 부정해 왔기 때문이었다. 하지만 수현은 암암리에 인성과 실력이 입증된 정보사 특임대 출신 인력들이 역량과 적성에 맞는 직업을 가질 수 있도록 도와왔고 심지어 자신이 도망자 신세가 된 후에도 ENAS와 같은 비즈니스를 시작하면서 제대 후 사회에 적응하지 못하거나 한국에서 밥벌이를 하기 어려운 상황에 처한 후배들을 김부장을 통해 소개받아 일거리를 주고 있었다.

통상 서너 명의 스몰유닛(Small Unit)으로 적대적인 환경에서 지원없이 민감한 업무를 수행하는데 최적화된 이들에게 콘보이(Convoy)는 딱히 맞는 일이라 볼 수 없었지만 자신만 믿고 카자흐 정예부대나 거친 용병들과 맞서 싸워줄 자들은 그들 밖에 없었다.

***

같은 시각 알마티몰 물류창고

아슬란의 SUV가 제갈을 데려간 곳은 알마티의 고려인
타운이었다. 아슬란 일행은 자신들이 제갈을 납치하고 있는
건지 에스코트하고 있는 건지 방금 처치한 자들이 경쟁
조직원들인지 경찰인지 등 상황의 전체적인 그림에 대해서
모르는 듯했다. 처음엔 표정이나 태도가 적대적이었는데
제갈의 태도가 호의적이고 고분고분하자 오히려 당황하는
듯했다. 차가 제갈도 익숙한 한 대형 쇼핑몰 뒤의 물류 창고
게이트를 열고 들어가 앞마당에 멈추자, 조수석에 앉아있던
자가 내려 뒷문을 열었다. 두 명의 덩치 사이에 앉아있던
제갈은 자신의 오른쪽에 앉은 자가 먼저 내리자 그의 뒤를
따랐다. 안에서 지켜보고 있었던 듯 창고 문이 열렸고
제갈은 아슬란 일행의 뒤를 따라 들어갔다. 정국은 기다리고
있었고 아슬란의 뒤를 따라 들어온 제갈에게 의례적 인사도
없이 그냥 앉으라고 손짓했다. 두 사람은 간단하게 차려진
차와 스낵, 그리고 보드카를 가운데 놓고 각각 카페트 위에
앉았다. 아슬란은 부하들을 현관 밖으로 나가도록 하고

자신은, 정국의 맞은 편이자 제갈의 뒤, 입구 옆에 놓여진
의자에 앉았다.

"기래, 총영사 동무, 내래 뭘 도와주면 좋갔소? 다시 한번
얘기해 보시오."
"누군가가 서울로 가야 할 외교화물을 가로챘어요. 내가 그
화물의 위치를 알고 있는데 그걸 찾으러 갈 차와 사람들이
필요합니다."

제갈은 의도적으로 최소한의 디테일(Detail)만 전달하려
했는데 카자흐 정부가 개입되어 있는 부분은 정국도 어느
정도 짐작하고 있었던 듯했다.

"그 화물이란?"
"이미 알고 계실 텐데요. 차장님 부하가 나한테 그걸
빼앗으려고 내 머리에 총까지 겨눴는데.."

정국은 대충 짐작은 하고 있었지만 그렇게 구체적인
상황까지는 모르고 있었기에 왼쪽 눈썹을 치켜 올리며
말했다.

"고거이 사실이라면 동무도 꽤나 급했던 모양이오. 자기를 죽이려던 사람한테 찾아와 도움을 다 청하고.."

'임무였다면 나라도 당신한테 똑같이 했을 테니까.' 제갈은 들릴 듯 말 듯한 목소리로 대꾸한 뒤 정국에게 구체적으로 필요한 사항들을 이야기했고 후자는 듣고 난 뒤 답했다.

"조건이 하나 있소." 제갈은 지원의 대가에 대해 말할 것이라 예상했지만 정국의 조건이라는 것은 그보다 훨씬 간단한 것이었다.

"내래 동무와 동행해야 갔어."

***

같은 시각 알마티 시내

대통령궁에서 습격을 당했던 건 자신들이 자초했던 문제이기도 했다. 애시당초 자신들의 것이 아닌 물건을 빼앗아 온 것이었으니.. 하지만 단순한 책상물림 정도로 생각했던 한국의 외교관에게 속아 자르켄트까지 헛걸음한 것도 모자라 그를 쫓다가 괴한들의 습격에 부하들을 둘이나 더 잃은 것은 잘잘못을 떠나 자존심에 금이 가는 일이었다.
더이상 당할 수만은 없었다.

분노와 자괴감에서 어느 정도 벗어난 카디예프는 남은
부하들과 어떻게 할지에 대해 의논하기 시작했다. 정상적인
상황이라면 당연히 본부와 연락해서 지원을 요청할
것이었지만 그럴 수 없었고 그렇다고 이대로 작전을 중지할
수도 없었다. 빨리 움직여야 했다.

"그 꼬레이(кореи, 한국인)에게는 연락해 봤나?" 용수현
이야기였다.

"열번쯤 전화해 봤는데 받지 않습니다." 카디예프는 얼굴을
찌푸렸다. '애시당초 누구때문에 작전이 시작된 건데? 뭔가
알고 있는 거 아닌가?' 아직 그에게 답을 들어야 할
질문들이 많았지만 막상 순간의 감정으로 그를 내쳤던 건
자기자신이었다.

"CCTV는?"

"현장을 통제하고 있는 경찰에게 들었는데 사건 전후
5분간 그 동네 CCTV가 다 먹통이 되어 쓸 만한 게 안
나올 거라고 하지 말입니다."

"사건 전후 10분간으로 범위를 확대해서 확인해 봐."

"그 정도 시간이면 이미 어디든 갈 수 있는…"

"그냥 하라고!"

급한 마음에 옥박질러 버렸지만 카디예프도 방금 자신이
지시한 행동의 결과가 큰 의미 없을 것임을 이미 알고
있었다. 차창을 열고 답답한 마음에 부하에게 피우지도 않는
담배를 한 개피 빌려 불도 안 붙이고 물고 있다가 불현듯
생각이 떠올랐고 뭔가 다시 지시했다.
잠시 후, 카디예프는 경찰출신인 부하 살리코프와 함께
알마티 경찰 상황실 문을 열고 있었다. CCTV 말고 뭔가
현장 상황을 기록한 영상이 있으리라는 희망에서 였다. 마침
살리코프의 친한 옛 동료가 그날 당직이었고 직접 그들을
한 쪽 벽면을 다 채우는 거대한 중앙모니터가 있는
상황실로 안내했다. 간단한 소개 후 카디예프는 바로
본론으로 들어갔다.

"부하들을 공격한 테러리스트들이 전파방지 장치를
사용해서 CCTV가 잠시 무력화되었던 모양인데
용의자들을 확인할 다른 방법은 없습니까?"
"음… 드론도 모두 시위 현장에 배치되어 있었고… 아!"
마지막 희망의 불이 꺼지는 듯했던 카디예프는 뭔가 생각이
떠오른 듯한 당직자의 얼굴을 기대 어린 표정으로 바라봤다.

경찰이라기 보다 면서기에 가까운 인상의 경관은
카디예프와 살리코프를 상황실 한 구석으로 이끌었다. 틱톡,
유튜브, 페이스북… SNS 를 모니터링하고 있는 자리인
듯했고, 그가 부하에게 '알마티 인터넷 카페 총격전'을
테마로 다양한 키워드와 해쉬태그 영상을 검색하게 하자
열개 가까운 현장 동영상이 떴다. 두 아리스탄은 10 분 정도
눈이 빠지게 화면을 들여다 보다가 마침내 원하던 것을
발견했다.

"저 차야! 검은색 토요타 랜드크루저 SUV 와 타코마
픽업트럭. 트럭 적재함에 놓인 무기들을 좀 보라고!"

두 사람의 눈은 벌개져서 두 차량의 행적을 미친 듯 쫓고
있었다. 그러다가 카디예프는 카자흐 최대의 한국인 마트
'알마티 몰'을 향하고 있는 화면 속의 차를 손가락으로
가리키며 말했다.

"저기는… Қарғыс атқыр корейлер! (Qarğıs atqır
koreyler! - 빌어먹을 고려인놈들!)"

그는 차가 어디서 멈추는지 확인한 뒤, 헬기조종사에게
무전을 쳤다.

***

같은 시간 알마티 몰 물류 창고

이번에는 토요타 SUV 의 운전대를 아슬란이 직접 잡았고
조수석에는 제갈이 앉았다. 그리고 정국은 제갈과 대화를
나눌 수 있도록 조수석과 대각선인 운전석 뒤에 앉았고
정국의 옆에는 상대적으로 교양 있어 보이는(?) 아슬란의
부하가 앉았다. 랜드크루저 뒤로는 무장한 아슬란의 부하
여섯 명이 탄 타코마(Tacoma) 픽업트럭이 따라왔다.
상대적으로 덜 추운 날씨이긴 했지만 바람이 있어서
적재함에 탄 자들은 몸을 웅크리고 밀착해서 서로의 체온을
이용해 추위를 견디고자 하고 있었다.
제갈은 자신의 전화기를 아예 폐기하고 아슬란이 구해 준
버너(Burner)폰에 위치추적 앱을 설치하고 자신의 안면과
지문으로 ID 를 확인했고 화면에는 카자흐스탄 지도와 함께
깜빡거리는 황색 점이 나타났다.

"Барайық (Barayıq, 갑시다!)"

두 대의 차량은 서서히 코리아 타운을 빠져나와 A-2
고속도로를 향했다. 돈과의 거리는 상당하지만 자신의
생각이 맞다면 그것이 실려 있는 트레일러의 속도가 자신이
타고 있는 SUV 보다 늦을 것이기에 국경에 닿기 전에
따라잡을 수 있을 것이라는 것이 제갈의 예상이었다.
제갈과 그의 손전화 모니터의 노란 점을 보고 있던 정국은
텅 빈 밴의 적재함을 보고 명철이 느꼈을 허탈함과
황당함에 대해 생각했다. 마지막에 돈을 확보하는 것 뿐
아니라 조수석에 앉아있는 자의 뒤통수에 총알을 박는
일까지 하지 않으면 자신이 아들처럼 아꼈던 부하는
개죽음을 했던 셈이 될 것이었다.

노란 점은 거의 확실하게 우즈벡 국경을 향해 가고 있었다.
제갈은 정국의 시선을 느꼈던 듯 후자 쪽을 보고 말했다.

"타슈켄트 한국 대사는 전정권 사람으로 만약 돈이 그의
손에 들어가면 대북 강경파인 인제명 당선자 쪽으로 넘어가
버릴 수도 있어요."
"쉼켄트(Shymkent) 부근에서 따라잡을 수 있을 겁니다."

아슬란이 제갈의 한국어를 대충 알아듣고 말했다. 쉼켄트는
국경 가까이에 있는 도시로 여기서 돈을 되찾지 못하면
15 억불은 그대로 우즈벡 국경을 넘어버릴 터였다. 문제는
단순히 돈을 따라잡을 수 있느냐를 넘어서 돈을 가지고
있는 자들이 몇 명이며 무장을 했느냐는 것이었는데
아무래도 최악의 경우를 상정하는 것이 안전했다.

"그런데 물건을 가지고 있는 것은 어떤 자들 입니까?"
아슬란이 물었다.
"나도 모릅니다. 다만, 그냥 예사로운 도둑은 아니라고 봐야
합니다. 국경에서 대한민국 외교화물을 가로챌 정도면.."
제갈은 대답하면서 당황감과 분노가 치밀어 올랐다.

'걸린 돈이 얼만 데..' 라 생각하며 정국은 아슬란에게
쉼켄트에 동원할 수 있는 화력이 있는지 물었고 후자는
마침 자신의 방계 조직이 있다고 했다.

"내 생각엔 조카님이 상상할 수 있는 범위의 모든 인력과
장비를 동원하는 게 좋갔어. 카자흐 전국의 조직들과
전면전을 벌인다면 필요할 만큼이라 생각해도 돟디."

동원가능한 리소스(Resource)에 대해 상세히 물어본 끝에
정국이 말했고 아슬란은 의미심장한 표정으로 고개를
끄덕인 후 전화로 쉼켄트에 있는 부하들에게 뭔가를
지시했다.

제갈은 황색 점의 궤적을 실시간으로 그려내는 전화기가
무슨 명줄이라도 되는 듯 손등의 푸른 힘줄이 튀어나올
정도로 세게 쥐었다. 그의 뒤로 하늘은 어두워지고 있었다.
한낮인데 하늘이 컴컴해 지는 것이 눈폭풍이 몰려오는 것
같았고, 먹구름이 움직이는 속도도 빨라 랜드크루저를
추월할 듯했다.

***

잠시 후 알마티몰 옥상

정식으로 헬리패드가 설치된 곳은 아니었지만 워낙 넓어서
큰 문제는 없었다. 하늘정원처럼 꾸며진 커다란 잔디 밭
한가운데를 향해 헬기가 하강하자 처음에는 사자에 쫓기는
영양떼처럼 사방으로 흩어졌던 군중들은 서서히 다시
모이기 시작했다. 그들 입장에서는 평소에 볼 일이 없는
헬기를 그것도 몰의 옥상에서 본다는 것이 큰 충격이면서도

엄청난 구경거리였다. 더욱이 어느새 전투장비를 장착한 카디예프와 부하들이 내리자 사람들은 대테러진압 훈련이나 영화촬영이 있는 것으로 생각했고 조심스레 헬기 쪽으로 다가가기 시작했다.

'타타탕!'

카디예프는 하늘을 향해 공포탄을 쐈고 그제서야 사람들은 훈련이 아닌 실제 상황이며 눈 앞에 있는 군인들의 전투복에 아무런 표시도 없음에 그들이 적, 테러리스트들일 수도 있다는 것을 깨닫고 혼비백산하여 다시 사방으로 달아나고 있었다. 그와 대조적으로 카디예프 일행은 좁고 폐쇄된 장소에서의 교전에 대비하여 CQC (Close Quarter Combat)를 위한 대형을 갖추고 질서정연하게 비상계단을 내려가기 시작하였다. 목표지점은 쇼핑몰 바로 뒤에 있는 창고였다.

***

낮은 철제 펜스로 둘러싸인 창고는 쇼핑몰의 유지보수를 위한 자재들이 보관되는 곳인 듯했다. 펜스와 같은 재질로

되어 있는 게이트는 닫혀 있었는데 그 너머로 창고 문은
활짝 열려 있었다.

"펜스 앞에 적 하나, 창고 문 앞에 둘, 창고 안에 보이는
건 셋, 아마 안보이는 위치에도 있을 것으로 예상되지만
수는 파악 안 됨."

가장 앞에 선 살리코프가 낮은 목소리로 말했고 그건
나머지 4명의 이어셋을 통해 전달되었다. 다섯 명 모두
소총 안전스위치를 자동에 놓고 장전손잡이를 당겼다.

"Сіз бұл адамды тани аласыз ба? (Siz bul adamdı
tanï alasız ba, 이 사람 누군지 알겠나?)"

카디예프는 펜스 바로 뒤에 앉아 스마트폰을 들여다보고
있던 아슬란의 부하에게 물었다. 후자가 고개를 들자 그의
눈 앞에는 또 하나의 스마트폰이 있었고 모니터에는 몇시간
전에 급히 자신의 두목, 동료들과 나간 '손님'의 모습이
있었다. 하지만 그 스마트폰의 주인이 경찰은 아닌 것
같은데 뭔가 법집행과 관련된 일을 하는 사람이라 생각하고
그는 고개를 가로 저으며 아랫입술을 살짝 씰룩여서

'누군지 도통 모르겠는 뎁쇼'라는 의사를 표현했다.

카디예프는 다시 한번 상대방에게 물었고 후자는 이번에는 할리우드 영화에서 본 것처럼 어깨를 으쓱하며 고개를 가로저었다. 그러자 스마트폰을 들었던 왼손이 뒤쪽으로 사라지며 권총을 든 오른 손이 앞으로 나왔다.

"다시 한번 묻겠다."

반사적으로 손이 뒷춤에 있는 CZ 75로 가는 걸 보고 카디예프는 상대방의 눈을 마주치며 이번에는 자신이 고개를 저었다. 하지만 창고 앞의 두 명과 창고 안의 세 명이 모두 권총이나 경기관총이 분명한 뭔가를 드는 것이 보였고 동시에 귀를 찢는 듯한 총소리가 옆과 뒤에서 들렸다.

방아쇠를 당길 준비가 빨랐던 자들이 그렇지 못한 자들을 쓰러뜨린 결과 그 자리에서 아슬란의 부하들은 5:0으로 완패했다. 살리코프의 초기 예상대로 창고 안의 보이지 않는 곳에는 더 많은 수가 숨어있었던 듯했고 자신들의 동료 다섯명이 쓰러지는 걸 보고 일부는 몸을 숨겼지만 무기를 소지한 대다수는 몸을 낮추고 창고 밖으로 나오려고 했다.

카디예프의 부하들은 이제 여유 있게 조준사격으로 시야에
들어온 아슬란의 부하들을 하나씩 제거하고 있었다.

"이 자를 아는가?"

이제 카디예프는 문지기의 이마를 총구로 밀며 묻고 있었다.
굳이 전자가 소리내 말하지 않아도 후자는 그것이 마지막
기회 임을 알았고 아슬란과 제갈과 정국의 행방에 대해
아는 대로 이야기했다. 카디예프는 말없이 뒤돌아 다시 왔던
길을 향했고 부하 중 하나가 그를 대신해서 문지기의
이마에 구멍을 냈다.

***

잠시 후, A2 고속도로 서쪽 방향

"장군님, 한시간 후면 심켄트(Shymkent) 입니다."
"목적지까지 세시간 남았군."

심켄트는 타슈켄트까지 두시간이 안되는 거리에 있는
국경도시였다. 한편으로 목적지가 얼마 안 남았다는 것이

좋기도 했지만 다른 한편으로는 아직 아무 일 없었다는
것이 정상적인 상황이 아니며 곧 뭔가 방해물이 나타날 것
같은 예감이 들었다.

국경도시로서는, 아니 카자흐 도시로서는 상당히 번화한
편으로 인구 100만이 넘는 제3의 도시답게 고속도로에서
레스퍼블리카 대로 (Respublika Avenue)로 이어지는 길의
양 옆에 상대적으로 높은 건물들과 행인들의 수가 늘어나기
시작했다. 상대가 카디예프라면 민간인 사상자가 많이 나올
수 있는 이런 곳을 공격포인트로 선택하지는 않겠지만,
제갈이나 더구나 북한이라면 콘보이(Convoy)의 평균
속도가 반 이하로 떨어지고, 저격수나 공격 차량을
숨겨놓을 곳이 많은 이 지점이야 말로 절호의 찬스라
생각할 것이었다.

선도차량이 무장차량이라고는 하나 외관이 튀지 않도록
경기갑(Light armored) 상태였기 때문에 IED나 로켓
공격에는 속수무책이었고, 그 차량이 무력화 되어 정지했을
때 수현의 트레일러는 멈추거나 아니면 좌우의 좁은 길로
우회할 수 밖에 없었는데 그 때 공격하면 또
속수무책이었다. 그런 생각들을 하고 있을 때였다.

"전방에 장애물 발견!"

새미가 김부장에게 보낸 무전의 내용은 700미터 전방에 고장 차량이 있어 멈춰서거나 우회해야 한다는 것이었다. 수현은 그 고장차량에 대해 좀더 자세히 보고할 것을 요구했고 1~2분후 쯤 답이 돌아왔다.

"회색 혼다 세단. 보닛을 열고 비상등을 켜고 있다. 운전자인 듯한 자가 나와있고 차 안에 몇 명이 있는지는 파악 불가."

수현은 전투 태세를 갖출 것을 명령했고 선도차량을 비롯한 콘보이 전체가 차창을 열고 즉시 공격 태세를 갖췄다. 그 때였다.

"총! 전방에 매복!"

수현의 예상대로 고장 차량은 매복조였고 한발 앞서 공격자세를 취한 새미의 눈에 운전자를 가장하여 열린 보닛 앞에 서성이던 자의 허리춤에 꽂힌 피스톨이 목격되었던 것이다. 수현은 공격을 명령했고 선도차량의 총구 네 개가 일제히 불을 뿜었다. 고장 차량 앞에 서있던 자가 피스톨을 뽑아볼 여유도 없이 바로 머리에 두발 가슴에 세발을 맞고 쓰러진 후 차에서 나오려던 일당 중 둘은 채 문도 열어보지 못했고, 가까스로 기어 나온 하나 역시 머리에 한 발을 맞고 쓰러졌다. 선도차량은 중앙선을 넘어 기습차량을 피해 전속력으로 달리기 시작했고 수현의 트레일러는 공간이 부족하자 기습차량을 그대로 들이받고 선도차량의 뒤를 따랐다. '고장차량'이 콘보이를 멈추게 하면 기습하려 했던 듯 레스퍼블리카 대로 양 옆에서 대기하고 있던 밴 하나와 SUV 하나가 튀어나왔지만 의도했던 대로 트레일러나 후행 차량의 측면을 공격하지 못하고 뒤늦게 나와 콘보이를 쫓기 시작했다.

콘보이의 후행 SUV 선루프가 열렸고 지미가 LAW(Light Anti-tank Weapon)를 들고 나왔다. 그 뒤를 쫓던 SUV 운전석과 조수석 창문이 열리면서 각각 피스톨과 경기관총이 나와 총알을 뿌리기 시작했지만 아직 정확하게 겨냥하지 못하는 데다 열려있는 선루프 뚜껑이 장갑판이 되어 총알을 막아주고 있었다. 지미는 로켓을 발사했고 SUV는 잠시 앞 쪽을 밑으로 물구나무서 듯 비상했다가 천정을 밑으로 추락했다.

"명중!"

지미가 절도 있으면서도 약간 흥분된 소리로 발사 결과
보고를 할 무렵 위쪽에서 한발의 총성이 들렸고 방금 말한
입과 그것이 속했던 얼굴은 피보라로 변했다.

"저격수, 저격수!"

아슬란이 심어 놓았던 저격수가 앞쪽에서 기다리고 있다가
콘보이(Convoy)가 예상보다 빨리 나타나는 바람에
선도차량과 트레일러는 놓쳤지만, 마침 후방차량 지붕에
나와있던 지미를 정확하게 맞춘 것이었다.

방금 세로로 엎어진 SUV를 따르던 밴은 전자를 가까스로
피하고 계속해서 콘보이를 쫓았다. 조수석과 뒷자리의 창문
두 개 밖으로는 모두 기관총들이 나와 델루라이드를 향해
갈기기 시작했다. 기아 SUV의 창문은 미국 NIJ (National
Institute of Justice)의 최고 'IV' 등급 방탄유리로 되어
있긴 했지만 쏟아지는 AK 47의 7.62 밀리 탄두를
언제까지나 막아주지는 못할 것이기에 탑승하고 있던
ENAS 요원들도 창문을 열고 추격해 오는 SUV를 향해
응사했다.

추격하는 밴의 운전수는 악셀을 차바닥이 뚫어져라 밟았고
앞 차와 거리는 30, 20, 10 미터로 점점 좁혀지고 있었다.
기아 SUV 의 소총들이 5.56 밀리 총알을 뿌려대기는
했지만 잘 피하고 있었고 조금 있으면 그 총알도 다 떨어질
것이었다. 그 때 5 미터 정도까지 최대한 거리를 좁혔다가
조수석에 앉은 동료에게 유탄발사기를 쏘도록 할 거고
단박에 제압하지는 못하겠지만 운행이 더이상 불가능하도록
하는 것은 가능할 것이었다. 그 때 였다.

'퍼펑!'

앞 타이어가 파열되면서 밴은 갑자기 방향을 잃고 좌측
중앙선을 넘었고 맞은편에서 오던 대형 덤프트럭과
충돌했다. 밴이 유탄발사기를 발사하기 위해 2~3 초간
속도를 줄인 순간을 놓치지 않고 기아 SUV 에서 누군가가
소형 스파이크 스트립(Spike strip)을 던졌고 앞 타이어가
다 터진 밴은 갑작스럽게 방향을 틀었던 것이었다.

***

A-2 고속도로는 쉼켄트 부근

프리트락토보예(Pritraktovoye)에서 두 갈래로 갈라졌다가
쉼켄트 시 경계 내에서 타메르레인(Tamerlane) 고속도로와
하나로 만나게 되어있었다. 두 지점 사이에 한 시간 정도
시간이 있었는데 그 사이에 수현의 콘보이와 거리를 좁히기
위해서 아슬란은 부하들을 쉼켄트 도심의 가장 혼잡한 곳에
매복하게끔 했고, 콘보이가 빠져나오더라도 자신들이
타메르레인 IC 에서 2 차로 습격하려는 계획을 가지고
있었다.

프리트락토보예를 통과한지 30 분 정도 후에 아슬란에게 한
통의 전화가 걸려왔다. 핸즈프리(Hands-free)를 착용하고
통화하기에 정국과 제갈은 진행되는 상황을 알기 어려웠다.
아슬란이 간간이 낮은 목소리로 짧은 문장들을 이야기하는
것으로 보아 전화기 저쪽 편에서 그에게 원거리로 지시를
받고 있음에 분명했다.

도로는 어느덧 시속 100 킬로 이상을 유지하기가
부담스러운 왕복 2 차선의 좁은 길로 접어들고 있었다. 그
때였다. 아슬란의 이어피스 속의 목소리가 정국과
제갈에게까지 들려왔다. 작전이 시작된 모양이었다. 잘 되어

가는지 아닌지 알 수는 없었지만 아슬란의 오른쪽 이마에
굵은 힘줄이 도드라지는 걸 보니 썩 순탄하진 않은
모양이었다.

"ей, есеп беру не болды! (ey, esep berw ne boldı, 야,
무슨 일이야? 말하라고!)"

아슬란은 벌어지는 상황을 정국과 제갈이 그대로 엿듣게
하기 싫은 듯 최대한 침착하게 낮은 톤을 유지하며 말하고
있었지만 자신도 모르는 사이에 목소리와 악셀을 밟고 있는
발에 힘을 주고 있었다. 제갈과 정국은 잠시 불안한 시선과
표정을 교환했지만 누구도 선뜻 아슬란에게 상황을 묻기
어려운 분위기였다.

같은 말을 몇 번 반복하다가 거의 소리치듯 말했지만
이어셋 안은 조용한 듯했고 아슬란은 분노인지 공포인지 알
수 없는 표정으로 이어셋을 잡아채듯 벗어 던지고 두
손으로 핸들을 잡았다. 정국과 제갈의 정면으로 비명을
지르며 피하는 행인들과 신호등의 빨간 불이 시야에
들어왔고, 반대편 차선에서 달려오는 차량들이 울려대는
경적소리가 크레센도 디크레센도로 들려왔다.

***

"로켓 발사! 로켓 발사!"

수현은 자신의 귀를 믿을 수 없었다. 도심의 매복조를
따돌린 지 채 10분도 지나지 않은 시점이었다. 대형 현대차
대리점이 시야에 들어오자 마자 후행 차량에서 로켓공격을
받는다는 무전이 들려온 것이다. 김부장 쪽 백미러로 현대
대리점 옥상 위에 피어 오르는 연기가 보였다. 후행 차량은
측면으로 날아온 로켓을 정통으로 맞진 않았지만, 중심을
잃고 전복되었고 더 이상 운행이 불가능했다. 로켓에 파손된
길과 전복된 차량때문에 그 뒤에 오던 차들은 모두 멈춰
섰고 여기저기서 크고 작은 추돌 사고가 일어나고 있었다.

아직 국경까지는 한시간이 넘게 남았는데 사실상 콘보이가
깨지고 이제 전방에서 호위하는 차량만 하나 남았다.

"장군님, 후방에 적 차량 출현입니다."

랜드크루저 SUV와 타코마 픽업트럭. 김부장의 급박한
목소리에 수현이 백미러를 보자 방금 전까지 반대편에서
오고 있던 차량 두 대가 무단으로 유턴을 해서 트레일러
뒤에 따라붙은 것이 보였다. SUV와 트럭은 트레일러 양
옆으로 갈라지면서 각각 속도를 올렸고 이내 수현과
김부장이 있는 캐빈 양 옆으로 다가왔다. 김부장이 전방
차량에 긴급하게 명령을 내리자 차선을 왼쪽으로 바꾸면서
속도를 줄여 캐빈 운전석 옆 쪽으로 다가가고 있는
픽업트럭 앞으로 가까이 가면서 선루프를 열었다.

선루프가 열리면서 무엇이 나오는지를 제일 먼저 본 사람은
픽업의 운전수였다. 그리고 그는 자신이 어떻게 해야 할지
잘 알고 있었다. 원래 계획대로라면 조수석에 앉은 동료가
트레일러 운전수를 권총으로 협박해서 멈추도록 할
것이었지만, 지금은 코 앞에서 자신들을 향하고 있는 .50
밀리 기관총의 위협을 제거, 아니 그로 인한 피해를 최소화
하는 것이 급선무였다.

트럭은 엔진이 터질 듯이 속도를 올려 현대 팰리사이드의
후방을 들이받았고 직전까지 전자를 향해 총알세례를
퍼부으려던 기관총 사수는 순간 몸의 중심을 잃고 차안으로

쓰러져 들어가는 듯했다. 어느새 전방 팰리사이드와 후방 타코마의 탑승자들은 누가 먼저랄 것도 없이 각자 차창을 열고 권총, 기관총, 소총 할 것 없이 앞에서 뭔가가 나가는 것은 모두 쏴 대고 있었다.

김부장이 코 앞에서 벌어지는 위태한 상황에 주의하며 운전대의 컨트롤을 놓치지 않으려 애쓰는 동안 수현의 우측으로는 아슬란의 SUV가 다가오고 있었다. 그 차의 뒷좌석에서 정국이 차창을 내리고 피스톨을 든 손을 내 보였다. 총구를 흔드는 모습이 우측 차선으로 이동해 차를 멈추라는 제스처로 보였다. 수현은 좌측으로 눈을 돌렸고 교전 중인 팰리사이드와 타코마가 보였다. 경기갑무장이 되어있는 팰리사이드가 조금은 유리하겠지만 그렇다고 후방에서 사력을 다해 싸우고 있는 타코마를 쉽게 제압할 수도 없을 것 같은 모양새였다.

"김부장."

"…"

"김부장!"

"저…예?"

왼쪽 편에서 벌어지는 상황에 온 신경을 집중하고 있던
김부장은 수현이 소리를 지르자 비로소 뭔가에서 깨어난
듯한 표정으로 후자를 바라봤고 수현은 아무래도 차를
멈춰야겠다고 이야기하려 했다. 그 때였다.

'뿌슝!'

굉음과 함께 수현의 뒤통수에 일순 열기가 느껴졌고 그가
뒤돌아 봤을 때는 방금 전까지 눈 앞에 있던 SUV 가
조수석 쪽의 백미러 안에 있었다. 부서지고 뒤집어져서 검은
연기를 뿜어내는 모습이. 그리고 놀란 표정으로 다시 김부장
쪽을 봤을 때는 위에서 날아온 뭔가가 한꺼번에
팰리사이드와 타코마에 명중하는 모습을 보았고, 폭음과
충격파에, 수현은 물속으로 들어간 듯 잠시 무중력 상태를
느꼈다.
그리고 그가 다시 물 밖으로 다시 나온 것은 김부장이
체중을 실어 브레이크를 밟는 소리를 듣고 나서 였다. 어떤
경우에도 트레일러는 멈춰서는 안된다는 것이 자신의
명령이었고 자신의 말이라면 목숨이라도 거는 김부장이
정면으로 불복한 이유는 수현의 눈 앞에 있었다.

시카리오(Sicario) -더 데이 오브 솔다도(The Day of Soldado)- 편에서의 한 장면처럼 Mi 24 헬기가 고속도로 양쪽 차선을 모두 막고 차선과 직각으로 착륙하고 있었다. 로켓포와 기관총으로 아슬란의 랜드크루저와 타코마, 그리고 수현의 팰리세이드를 제압한 후였고, 카디예프와 네 명의 부하들은 다시 한번 레펠로 내려오고 있었다. 수현과 김부장은 그 광경을 그냥 무력하게 쳐다보고 있었다. 착지 및 로프 해체한 5인 중 카디예프를 포함한 3인은 소총의 총구를 트레일러의 운전석과 조수석에 고정시키고 서있었고 나머지 2인은 빠른 걸음으로 트레일러 뒤쪽을 향했다. 수현의 백미러에 그 중 한 명이 소총을 피스톨로 전환하고 아슬란의 SUV를 확인하는 모습이 들어왔다. 아마도 김부장에게는 나머지 한 명이 팰리세이드와 타코마의 생존자를 확인하는 모습이 보일 것이었다.

수현이 잠시 시선을 돌리자 웨이스트밴드의 글록 손잡이를 잡고 있는 김부장의 오른 손이 보였고, 그는 자신의 왼 손으로 그 손을 누르고 김부장의 눈을 보며 고개를 한번 가로 저었다. 밖에서는 카디예프의 부하들이 어느새 차량들의 잔해와 생존자 확인을 마치고 와서 거의 동시에 운전석과 조수석의 문을 두드렸다.

"Я думаю, ты не мог уйти далеко (YA dumayu, ty ne mog uyti daleko, 멀리는 못 가셨구려.)"

부하들에 의해 자신의 앞으로 끌려온 수현과 김부장을 보며 카디예프가 러시아어로 말했다. 수현은 그런 그를 무표정하게 바라봤다. 방금 두 사람을 끌어낸 카디예프의 부하들이 빠르게 몸수색을 마치고 무장해제한 다음 손을 뒤로 해 포박하고 고개를 끄덕이자, 카디예프 옆에 서 있던 2인이 트레일러를 향해 뛰어가 운전석과 조수석에 올라탔다.

카디예프는 수현과 김부장을 데리고 있는 부하들에게 뭔가 명령했고, 다섯명은 모두 컨테이너 뒤 쪽으로 갔다.

두 군데에 각각 볼트(Bolt)와 와이어(Wire) 방식의 컨테이너씰(Container Seal)이 채워져 있었고, 이를 열기 위해서는 특수한 종류의 커터(Cutter)가 필요해 보였다. 카디예프는 수현을 지키던 부하에게 문 개방을 위해 커터를 가져오라고 지시했고 부하가 헬리콥터 쪽으로 뛰어가자 직접 그의 자리로 가 권총을 빼 들고 수현의 머리를 겨눴다.

카디예프는 컨테이너 내부에 매복이 있을 가능성에 대비하여 남은 부하 하나에게 김부장과 수현을 방패처럼 앞세우도록 하고 자신도 피스톨을 꺼내 들고 그 뒤로 가 숨듯 몸을 낮췄다. 그 때였다.

"брось пистолет и не двигайся! (bros′ pistolet i ne dvigaysya - 총 버리고 꼼짝 마!)"

***

로켓포가 전방을 강타하자 차 아래에서 폭발이 일어난 랜드크루저는 하늘로 떠올랐다가 뒤집어져 떨어졌다. 아슬란과 정국, 제갈 세 사람은 정신을 잃었다가 정국이 먼저 정신을 차렸고 어렴풋이 트레일러 앞 헬기를 보았다. 정국은 안전벨트를 풀고 문을 열려했지만 차가 전복되면서 버클이 비틀어진 듯 열리지 않았고, 그는 결국 칼로 벨트를 자른 뒤 발로 창문을 깨고 탈출했다. 다음으로 정신을 차린 건 제갈이었고 그는 아직 정신을 차리지 못한 아슬란의 피스톨을 챙긴 뒤, 역시 창문을 깨고 차에서 나왔다. 두 사람은 급한대로 트레일러 밑으로 굴러들어가 몸을 숨겼다. 그리고 몇 분 뒤 그들의 눈 앞에 한쌍의 군화가 걸어와 뒤집어진 차 주변을 살피다가 운전석 쪽에서 소총을 두 발 발사하는 소리가 들렸다.

'아슬란..' 정국은 이를 악물고 잠시 눈을 감았다 떴다.

그리고 잠시 후, 트레일러의 양옆으로 모두 다섯명이 뒤쪽을 향해 걸어가는 것이 보였다. 걸음걸이만 봐도 포로가 최소 두 명 있는 듯했다. 자신들이 쫓던 자들이었다. 화물을 개봉하려는 것임을 직감하고 정국은 피스톨을 빼 들었고 제갈은 그런 그의 어깨를 잡고 잠시 대기하도록 했다. 도구 없이는 컨테이너를 열지 못하므로 누군가가 다시 헬기로 가서 연장을 가져와야만 할 것임을 알았기 때문이다. 그리고 그의 예상대로 한쌍의 군화발이 다시 헬기를 향해 뛰어갔을 때 두 사람은 각각 트레일러 양측으로 몸을 굴려 나와 최대한 백미러에 보이지 않도록 몸을 낮추고 총을 들어 전방을 겨냥하며 컨테이너 뒤쪽으로 전진해 갔고 정국이, 수현의 머리에 총을 겨누고 있는, 카디예프의 목에 피스톨을 갖다 대는 것을 보자 마자 제갈이 김부장 뒤쪽에 있는 부하의 머리를 겨누며 러시아어로 나직이 말했다.

"брось пистолет и не двигайся! (bros′ pistolet i ne dvigaysya - 총 버리고 꼼짝 마!)"

***

정국과 제갈은 혹시 트레일러 앞쪽에 있을 카디예프의 부하들의 눈에 띄지 않도록 위치를 완전히 트레일러 뒤쪽으로 이동했다. 제갈을 본 카디예프의 얼굴은 분노와 놀라움으로 일그러졌다.

"멀리 못 가셨군" 이번에는 제갈이 카디예프에게 러시아어로 말했다.
"이봐 내 부하들이..윽"

카디예프의 말투가 협박조로 가려하자 정국이 총구로 그의 목을 쑤시듯 눌렀다. 사실 정국과 제갈도 돌아올 카디예프의 부하에 대해 걱정하고 있던 참이긴 했지만 다른 한편으로 그가 가져다 줄 커터가 필요하기도 했다.
일단 카디예프와 수현을 지키던 그의 부하는 무장해제 된 채 두 손 깍지 껴 머리에 올린 뒤 무릎이 꿇려졌고 김부장과 수현도 양손이 등 뒤로 묶인 채 그 옆에 나란히 무릎을 꿇었다.

"대장님! 어?"

왼손에 커터를 오른손에 AK를 들고 있던 부하는 정국을 언뜻 보고 소총을 들었다가, 정국이 카디예프의 뒤통수를 피스톨로 겨누고 있는 것을 보고, 커터와 총 둘 다 천천히 내려놓고 손을 들었다. 정국은 그에게 고갯짓으로 컨테이너 뒷문을 등지고 무릎 꿇고 있는 네 명 옆에 같은 방향과 자세를 잡도록 했다.

'쏴 버릴까?'

트레일러 앞 쪽에 카자흐 특수부대가 얼마나 더 있을지 모르지만 어쩌면 제갈 입장에선 정국을 포함한 모든 추격자들을 처치하고 유유히 국경을 넘을 수 있는 절호의 찬스였다. 하지만 마치 그의 생각을 읽기라도 한 듯 정국은 어느새 제갈 쪽으로 몸을 돌려 말했다. 총구는 인질들 쪽을 향하고 있었지만 만약 추호라도 수상한 기미가 보이면 제갈 쪽으로 돌릴 태세였다.

"총영사 동무, 화물은 한번 확인해 봐야 하지 않갔소? 저 간나새끼들이 뭔가 장난을 쳐 놓았을 수도 있으니끼니… 마치 몇 시간 전에 동무가 그랬듯이 말이오." 제갈은 정국의 말에 화가 났지만 어찌할 도리가 없음 또한 알고 있었다. "아, 봉인은 걱정하지 말기요. 여분이 SUV 안에 있으니끼니.." 정국이 덧붙인 말은 안심시키기 위해서라기 보다 제갈의 변명거리를 사전에 제거하기 위한 것인 듯했다. 제갈은 오른손의 피스톨로는, 누구라 특정할 수는 없지만, 무릎을 꿇고 있는 다섯명을 겨누면서, 왼손으로 커터를 집어들었다.

'참 황당하군. 내 꺼 내가 까는 건데 왜 이렇게 떨리지?' "당신 꺼가 맞긴 맞소?" 머뭇거리는 제갈을 보며 마치 그의 생각을 읽기라도 한 듯 수현이 말했다. "뭐라고?!" 수현의 말에 제갈은 땅을 보고 한숨을 쉬더니 고개를 들었을 때는 왼쪽 눈에 작은 경련과 함께 정수리까지 빨개졌다. "노인네가 귀도 밝네. 당신 도대체 누구야?" 커터를 내팽개치고 피스톨을 양손파지한 다음 제갈은 수현 쪽으로 다가와 그의 뒤통수에 총구를 갖다 대며 말했다.

"내가 누군지는 중요치 않아요. 당신이 '당신 꺼'라고
주장하는 게 사실 대한민국 국민 꺼라는게 중요한거지. 저게
국경을 넘으면 어디로 가게 되는 겁니까? 주인들의 손으로?
아니면 '당신 주인들의 손'으로? 외교화물을 도둑맞았는데
왜 정식으로 카자흐 정부에 문제제기를 못하는 거죠?
그리고 '노인네'한테 말버릇이 그게 뭡니까?" 제갈이
방아쇠를 당기지 못할 거라는 걸 확신하는 듯 수현의
말투는 점잖으면서도 힘이 있었고 전자는 분노로 총 든
손을 부들부들 떨고 있었다. 그의 입장에서는 후자만
아니었다면 그냥 일상적이고 평화로웠을 외교화물의 운송이
악몽이 되어버렸고 그걸 빼앗기고 빼앗고 또 빼앗기는
과정에서 넘지 말아야 할 선을 몇 번이고 넘었던 터였다.

무릎을 꿇리긴 했지만 숫적으로 열세인데다가 트레일러 앞
쪽으로 적이 몇 명인지 정확히 알지도 못하는 상태에서
이미 불안감을 느끼고 있었던 정국은 제갈의 신경을
건드리지 않으려는 듯 낮은 목소리로 하지만 또박또박
말했다.

"총영사 동무 좀 서두르는게 좋갔소. 저들에게 일당이 있는
걸 모르오?"

제갈은 피스톨을 들어 수현의 뒤통수를 있는 힘껏 내리쳤고 후자는 불의의 일격에 바로 앞으로 쓰러졌다. 김부장이 이를 악물고 움찔했지만 뒤에 있던 정국이 그의 뒷 목을 총구로 살짝 누르자 이를 악물고 그냥 '장군님' 쪽을 쳐다보기만 했다. 결박 당한 손에 힘을 줘서 손가락의 손톱부분이 하얘졌다. 제갈은 씩씩거리며 쓰러진 수현을 향해 잠시 총을 겨누고 있다가, 정국 쪽을 한번 힐끗 바라본 뒤, 허리춤에 꽂고 이번에는 오른손으로 커터를 집어 들었다.

봉인을 제거하는 과정은 생각처럼 단순하지 않았다. 컨테이너 오른 쪽 문 빗장에 볼트(Bolt)식 하나 좌우문 사이에 와이어(Wire)식 하나 총 두 개의 봉인이 있었는데 생각보다 단단하고 질긴 재료로 만들어져 있었다. 게다가 컨테이너가 트레일러 위에 올라가 높은 위치에 있어 제갈은 만세를 부르듯 두 손을 든 상태에서 작업을 해야만 했다. 어느덧 강한 바람이 불면서 곧 눈이 내릴 듯한 날씨였지만 그의 정수리인지 이마인지에서는 땀이 비 오듯 흘렀다. 정국은 포로들을 감시하는 한편 중간중간 제갈 쪽을 돌아봤고 후자의 헤매는 모습에 짜증이 밀려오는 것 같았다.

"시간이 없소. 앞쪽에서 언제 일당들이 올지 모른단
말이오."
"지금 내가 노는 것처럼 보입니까?"

먼저 볼트실(Bolt Seal)을 작업하고 있던 제갈은 자세가
나오지 않자 다소 만만한 와이어실(Wire Seal)을 먼저
제거했고, 다시 볼트실쪽으로 가서는 이전처럼 만세 자세를
취하기 보다 아예 트레일러 발걸이를 밟고 올라가 온
체중을 실어 커터에 힘을 주기 시작했다.

결국 커터의 양날이 사이에 낀 볼트를 끊고 만나는 소리가
들렸다. 제갈은 침을 꿀꺽 삼켰다. 결코 큰 소리가
아니었지만 제갈에게는 3 미터 정도 떨어진 정국에게도 그
앞에 무릎을 꿇고 있는 포로들에게도 들렸을 것 같은
소리였다. 볼트 끊어지는 소리도, 자신이 침을 삼키는
소리도. 그제서야 발가벗은 정수리 위로 사정없이 쏟아지는
눈의 차가움을 느끼며 제갈은 살짝 뒤를 돌아봤고 이미
자신의 방향을 보고 있는 정국의 실루엣이 보였다.

'쏴 버릴까?'

순간 정국의 머리 속에 그 자리에서 제갈과 다섯 명의 포로들을 제거하고 컨테이너를 차지하는 시나리오가 스치고 지나가긴 했지만 제갈이 없으면 국경을 넘을 방법이 없었고 다섯명을 쏘는 동안 카디예프의 부하들 혹은, 무엇보다, 제갈이 자신에게 총구를 겨눌 가능성도 있었다. 정국은 제갈을 향해 고개를 끄덕였고 정국은 컨테이너 오른쪽문 빗장을 열고 땅으로 내려와 컨테이너 문을 열었다.

'좌르르륵!'

열린 문틈으로 무언가가 쏟아져 내렸고 정국은 반사적으로 그 쪽으로 총구를 돌렸다. 그 때였다.

***

팀의 막내가 갑작스럽게 볼트 커터를 찾으러 먼저 헬기로 갔다가 실패하고 트레일러 캐빈으로 왔던 건 운전석에 앉은 살리코프가 알마티 시내 단골 클럽에서 여느 때처럼 당당한 가슴과 빵빵한 엉덩이를 가진 아가씨를 꼬셔서 천산산맥의 만년설이 보이는 힐튼호텔 꼭대기층 방으로 가 즐길 생각을 하고 있을 때 였다. 특공대의 급여는 괜찮은 편이었고 절대

독실하지 않은 32세 무슬림 남성이, 1인당 알콜 섭취량이 가장 높은 무슬림 도시 중 하나에서, 달리 돈을 쓸 데는 없었다.

조수석에 앉은 동료와 캐빈 뒤쪽의 기사 휴식공간에서 볼트 커터를 찾아 주는데 걸린 시간은 그의 '생각'이 끊어지지 않을 만큼 짧은 시간이었고 막내가 컨테이너 뒤쪽으로 출발하자 마자 '그녀'와 호텔 방문을 연 다음 순서에 대해 생각하기 시작했다.

하지만 이어셋으로 심상치 않은 잡음이 들려오자 절정을 향해 달려가고 있던 살리코프의 상상은 깨졌다. 그가 갑자기 경계레벨이 급상승한 표정으로 옆을 돌아보자 비슷한 얼굴의 동료와 눈이 마주쳤고 두 사람은 동시에 AK 장전손잡이를 당겼다.

그 때였다.

***

한시간 전 카자흐 우즈벡 국경

사짐바예프 의장의 친서와 뒤 이은 KNB 본부의 확인이
없었다면 네 명의 캐주얼 차림 사내들은 카자흐
국경수비대의 총탄에 벌집이 되었겠지만 대신 그 중
리더라는 자가 수비대장의 경례까지 받고 검색절차 없이
체크포인트를 통과한 것은 그들이 타고 온, 백만년전
조상들이 타고 다녔을 듯 보이는 볼보(Volvo) 스테이션
웨건 (Station Wagon) 트렁크에 실려 있던 짐들을
감안하면 상당히 놀랄 만한 일이었다.
친서는 이들이 CSTO (Collective Security Treaty
Organization) 군의 특임대로 일주일후 벌어질 카자흐군의
훈련에 참가하기 위해 무기를 가지고 입국함을 허가한다는
내용이었고, 이는 한시간반전 같은 목적으로 비상 착륙을
허가 받은 카디예프의 헬기가 표명했던 사유와 같은
내용이었다.

CSTO 는 2012 년 10 월에 창설된 구소연방 6 개국의
집단안전보장조약조직으로 냉전시대 바르샤바 조약기구의
후신으로도 볼 수 있는데 회원국인 카자흐스탄에서의

소요사태를 예의 주시하며 개입여부를 고민 중이라는
소문이 얼마전부터 무성했다.

"Target is 50 clicks away. One hour out (타깃은 50
킬로미터 밖에 있음. 행동개시까지 한시간 남았음.)"

예상과 달리 슬라브계 두 명, 중앙아시아인 한 명, 그리고
동북아인 한 명으로 이루어진 4인팀의 언어는 CSTO 공식
언어인 러시아어가 아닌 영어였고 그들의 목적지는
체크포인트에서 밝혔던 알마티보다 훨씬 가까이에 있는
곳이었다.

40 min. out

"잠깐, 저게 뭐지?"

거의 버려진 도로를 전속력으로 달리던 볼보는 갑자기
속력을 줄였다. 스텝(Steppe) 대 평원에, 아니 완전
도심이라 해도, 적어도 카자흐에서만은 상상하기 힘든 교통
정체가 있었기 때문이었다.

리더인 듯한 자의 질문 같은 명령에 운전자는 운전석 옆 박스에서 쌍안경을 꺼내 전방의 정체 원인을 찾기 시작했다. 어느새 볼보 뒤로도 꽤 많은 차량들이 서 있었다. 하늘에서 쏟아붓는 폭설 때문에 정확하게 볼 수는 없었지만 쌍안경 안에 희미하게 보이는 실루엣은 정체에 갇힌 다른 백여명의 운전자들에게는 불명확해도 볼보 운전자에게는 명확하고도 익숙한 형체였다. 운전자는 리더에게 바로 보고했고 리더는 잠시 고민하다 명령했다.

"차 버리고 출동!"

네 명의 사내가 일제히 차에서 내리는 것을 보고 차들은 잠깐 어리둥절해 하며 경적을 울려 대다가 그들이 트렁크를 열고 꺼낸 물건들을 보고 약속이나 한 듯 동시에 멈췄고 아무런 위협도 없는데도 바로 뒤의 한 대에서는 가족인 듯한 사람들이 내려 고속도로 옆 들판으로 혼비백산하여 도망가기까지 했다.

네 명은 아랑곳 않고 전방을 향해 짧은 행군을 시작했다.

30 min. out

네 사람은 1 Km 남짓한 거리를 노견에서 도보로
이동하면서 방탄조끼와 소총, 이어셋 그리고 권총과 대검을
장착했다. 이들의 모습을 가려주듯 눈은 점점 더 세차게
내렸다. 상하행 차도를 완전히 가로막고 서 있는 헬기가 백
미터 전방에 보이기 시작할 때부터 네 명은 네 개 차선에
서 있는 차들 사이로 숨어들었다.

리더는 뭔가 중얼거렸고 그걸 신호로 좌측 한 명과 우측 두
명이 각각 자리를 잡았는데 리더는 이내 앞으로 나아가면서
소총을 손에서 놓고 대신 권총을 뽑아 들었다. 총을 들고
무장헬기에 접근하는 사내의 모습도 예사롭지 않았지만
누군가 그의 손에 들린 총이 마카로프나 체코제 CZ 가
아닌, 서방 특수부대가 주로 많이 사용하는, 시그사우어(Sig
Sauer)임을 알아봤다면 뭔가 잘못되어도 크게 잘못되었음을
알 수 있었을 것이다. 앞서 나선 리더와 약 칠십 보 정도
거리를 두고 세명은 자신의 자리에서 천천히 전진하기
시작했다.

헬기 바로 앞에서 리더가 갑자기 몸을 낮추며 주먹 쥔
오른손을 올렸고 뒤의 세명도 일단 멈추고 몸을 낮췄다. 한
병사가 헬기에 올라 파일럿과 대화를 나누며 뭔가를 찾기

시작했는데 눈 때문이기도 했겠지만 그 작업에 몰두한
나머지 코 앞에 무장한 사내들은 안중에 없는 듯했다. 10초
경과 후 병사는 다시 등을 돌려 트레일러의 캐빈 쪽으로
돌아갔고 2-3초 후 리더가 도약하듯 헬기에 기어 올라타자
세 명은 헬기의 옆으로 각각 전진을 계속했다.

이제 리더는 파일럿의 머리에 총을 겨눈 채로 무장해제
시키고 헬멧을 벗긴 후, 전방의 폭설 속에 트레일러 캐빈을
향해 가는 두 개의 그림자와 트레일러 뒤쪽을 향해 가는 한
개의 그림자를 지켜보았다. 그러다가 파일럿의 귀에 대고
뭔가 말했고, 그는 뭔가 항변하는 듯했지만 리더가
시그(Sig)의 총구를 관자놀이에 쑤셔 박듯 누르자 계기판의
노드와 레버들을 조작하기 시작했다.

1 min. out

살리코프에게는 자신이 손잡이를 잡기도 전에 문이 열린 데
채 놀랄 시간조차 없었다. 그의 목으로 케이바(K bar)
대검날이 들어오자 소리도 지르지 못하고 즉사했기
때문이다. 조수석에서는 거의 비슷한 상황이 벌어지고
있었는데 차이가 있다면 살리코프만큼 운이 좋지 못했던

그의 동료는 문을 조금 일찍 여는 바람에 겨드랑이에 한번, 가슴에 한번, 그리고 목에 한번씩 케이바에 찔리고 나서야 바닥에 내려지게 되었다. 평소에 예리하기로 유명했던 살리코프의 직감은 수차례 그의 목숨을 살려왔지만, 그 날은 칼빵 두 개를 줄이는데 그쳤다.

'억!'

정국이 트레일러 뒤에서 쏟아져 내려오는 물건의 정체를 알기 위해 총구를 돌린 틈을 놓치지 않고 김부장이 앞으로 엎어지며 두 발로 그의 두발을 걸면서 자신의 몸을 비틀자 정국은 외마디 비명을 지르며 등을 아래로 쓰러졌고 그 때 카디예프와 그의 부하 둘도 깍지를 풀며 몸을 일으키고 있었다. 처음엔 쏟아져 내려오는 물건에, 다음으로는 정국의 갑작스런 쓰러짐에 놀란 제갈은 트레일러 뒤에서 뛰어내려 뒷춤에 있는 피스톨을 꺼내려 했다.

아직 머리를 들고 땅바닥에 누운 자세로 정국은 처음 시야에 들어온 자를 향해 피스톨을 발사했고 카디예프 부하 중 하나가 가슴을 부여잡고 쓰러졌다. 카디예프가 그대로 정국을 덮쳐 총을 빼앗으려 하는 사이 김부장은 수현

쪽으로 이동해 그를 일으키려 하고 있었다. 총을 뽑아 든 제갈은 엉켜 있는 정국과 카디예프 쪽에 총구를 향하고 한 발을 발사했고 카디예프를 도우려 달려들던 또 다른 부하가 맞았다. 아직 정국과 카디예프가 엉켜 있는 상태에서 제갈의 왼쪽 눈 구석에 어떤 움직임이 들어왔고 그는 그 쪽으로 총구를 돌렸다.

'타타탕!'

***

전방에 고속도로 상하행선을 모두 가로막고 있는 mi-24 공격용 헬기를 발견했을 때 영민은 뭔가 잘못되었음을 알았다. 원래 임무는 카자흐에서 뭔가 중요한 '선물'을 가지고 오는 '손님'을 '환영조 (Welcoming party)'로써 우즈벡 국경을 넘어 '마중' 나가는 단순한 것이었는데 벌어지고 있는 상황은 공격작전에 가까운 것이었고 헬기로 보아 자신들이 적으로 간주하고 제압해 나가고 있는 자들은 카자흐의 정규군일 뿐 아니라 정예부대인 것 같았기 때문이다.

그는 이어셋을 통해 리더가 헬기를, 다른 두 동료들이 트레일러를 장악하는 상황을 들으며 문제의 '선물'은 무탈한지 확인하기 위해 뒤쪽으로 조용히 그러나 빠르게 전진하고 있었다. 그리고 컨테이너의 중간지점을 통과하여, 그 뒤쪽에 있는 사람들이 보이기 시작하면서 부터, H&K MP5 경기관총의 장전손잡이를 쳤다.

"Got a visual on one tango and three hostages (적 1 명과 포로 3 명 발견.)" 영민은 이어셋에 귓속말로 말하고 리더의 지시를 기다렸다.

한 명의 감시자가 피스톨을 든 채 서있었고 세 명에서 다섯 명쯤 되는 사람들이 무릎 꿇고 머리에 손 혹은 뒷짐진 자세를 하고 있었는데 전자가 후자들을 인질이나 포로로 잡고 있음에 틀림없었다.
거의 뒤쪽에 도달했을 때 컨테이너 문이 열리면서 뭔가 작고 가벼운 것들이 땅바닥으로 쏟아져내려 부딪치는 소리가 들렸고 동시에 포로 중 하나가 엎어지면서 총 들고 서 있는 자의 다리를 걸어 넘어뜨렸다. 다른 포로 두 명이 방금 넘어진 자 위로 덮쳐 총을 빼앗으려 했는데 그 중 한 명은 넘어진 감시자가 발사한 총탄에 가슴을 부여잡고 쓰러졌다. 방금 감시자를 넘어뜨린 포로는 다른 포로 쪽으로 몸을 날리는 것 같았다. 이미 포로와 엉켜 있는 감시자에 포로 한 명이 더 덤벼들려 할 때 총소리가 났고 후자도 쓰러졌다.

트레일러 캐빈을 지나올 때 최고조에 달했던 영민의 심장박동은 이제 다시 정상으로 돌아왔다. 소말리아 해협에서 해적소탕작전을 할 때도, 경찰 특공대와 마약조직 소탕 작전을 할 때도 결정적 액션 직전에 항상 그는 그렇게 침착해 지곤 했었다. 그러고 나면 마치 초고속카메라로 촬영하듯 자신 앞에 벌어지는 장면들이 슬로우 모션으로 보이곤 했었다.

마침내 완전히 컨테이너 뒤쪽에 도달했을 때 그의 왼쪽 시야에 권총을 막 발사한 자가 눈에 들어왔다. 그는 총구를 돌려 한 발을 더 발사할 참이었다. 슈터(Shooter)가 '환영'의 대상인지 아닌지 판단할 시간조차 없어서 영민은 대충 총 든 손 쪽을 겨냥해 방아쇠를 당겼다.

'타타탕!'

세발의 9mm 총알 중 두발이 오른쪽 어깨와 팔을 관통하자 제갈은 피스톨을 떨어뜨리면서 쓰러졌다. 막 정국에게서

총을 빼앗은 카디예프는 예상 못한 총소리와 그 주인의
등장에 놀란 듯했고 이제 막 수현을 일으킨 김부장은
제갈이 떨어뜨린 피스톨에 눈길을 주고 있었다.

"Nobody fucking move! (모두 꼼짝 마!)"

영민은, MP5는 피스톨을 들고 있는 카디예프쪽을
겨냥하면서, 어느새 새로 뽑은 시그(Sig) 권총으로 김부장을
겨냥했다. 영어를 들은 수현은 김부장에게 눈짓해 같이
엎드린 반면, 카디예프는 총을 내려놓지 않고 영민을
노려봤다. 그 때 헬기 소리가 들렸고 이륙한 mi-24는 이내
영민과 '포로들'과 '감시자' 측방 벌판으로 내려와 착륙하려
했다. 로터의 굉음과 바람에도 영민과 카디예프는 자세를
풀지 않고 대치했는데 후자의 얼굴에 보일 듯 말듯 미소가
떠올랐다.

"Nobody fucking move! (모두 꼼짝 마!)"

하지만 이번에는 자신의 이어셋을 통해 영민이 한 말과
같은 영어가 들려오자 그의 얼굴은 급속도로 어두워졌고
헬기가 땅에 내릴 무렵에는 상황을 완전히 이해하고 총을

버렸다. 헬기 조종석에서 기총 소사로 사람이든 기물이든 뭔가 박살낼 생각이었다가 평화적으로(?) 장악된 상황을 인지하고 실망한 표정이 된 리더의 얼굴이 보이는 것 같아 이번에는 영민이 미소지었다.

***

D-14 알마티 쉽블락 스키리조트 클럽하우스 프라이빗룸

"하겠습니다. 하긴 하는데 이 장군이 먼저 해결해줘야 할 일들이 좀 있어요."

"그게 뭡니까?" 이찬의 얼굴이 밝아졌다.

"내가 지정하는 좌표로 환영조를 좀 보내주세요."

"흐음, 병력은 어느 정도…"

"많이 필요한 건 아닌데 퀄리티 있는 정예병력이라야 합니다. 티어원(Tier One) 수준이면 좋겠습니다. 토카예프 대통령이 시위 진압을 위해 러시아에 부탁해 CSTO 군의 개입을 요청했는데, 환영조는 바로 그 CSTO 군으로 위장해서 국경을 넘게 될 겁니다."

요구사항을 듣고 나서 밝아졌던 얼굴이 다시 어두워졌다.
인제명이 정식으로 취임하는 건 두달 가까이 남았고 자신이
국정원에 입성하는 건 확정된 것도 아니었다. 게다가
티어원이라니… 물론 수현이 진짜 네이비실이나 델타포스를
의미한 것도 아니었겠지만 특수부대를 움직이는 건 요원 몇
명이 국경을 넘는 것과는 차원이 다른 문제였기 때문이다.
하지만 거절하면 혹여 수현이 그 핑계로 '제안'에 No 할
경우, 다른 대안이 없었다.

"알겠습니다. Welcoming party 를 보내드리죠."

거절의 명분이 없어진 수현은 '제안'을 수락했지만 이찬의
답변 속 누가 보낸다는 주어가 생략되어 있음에 마음이
꺼림직 했다.

***

카디예프와 파일럿은 리더와 캐빈을 장악하고 지원을 위해
온 영민의 동료 둘에 의해 다시 포로신세가 되었고, 다친
아리스탄과 제갈은 응급처치를 받은 후, 그들 옆에
결박되었다. 정국의 시체는 아슬란이 있는 부서진 차 안으로
옮겨졌다. '선물'을 가진 '손님'임을 확인 받은 수현과
김부장은 포박에서 풀려났다.

"이봐 노인네, 당신 큰 실수 하는 거야. 저건 신성한
외교화물이고 대한민국의 재산이라고!"
"총영사, 그렇다면 여태까지 그걸 왜 이 먼 곳에 보관해 온
거요?"
"당신같은 민간인은 상상도 할 수 없는 국가적 니즈였소.
정의와 공정을 위해서.."

수현은 그냥 웃고 말았다. '정의와 공정'때문에 이상하게
선명훈 정권에서는 많은 사람들이, 그것도 정부 고위급과
여당 간부들의 의문사가 많았다. 제갈은 이제 십중팔구
본국으로 송환되어 '정의롭고 공정한' 절차에 따라 자신의
진영 사람들 질문에 답해야만 할 것이었고 대부분에

대답하지 못할 것이었다. 그런 제갈을 보면서 질문을 던지는 사람들은 그가 절대로 한달여 후면 문을 열게 될 인제명 정권에 피의자나 더우기 중인 신분으로 인계되어서는 안될 거라 생각할 것이었다.

제갈은 어쩌면 차라리 정국처럼 이 벌판에서 싸늘한 시체가 되길 바라고 있을지도 모를 일이었다. 죽어야 안심하고 잠들 수 있을 테니까..

8 장

D+2 카자흐-우즈벡 국경 근처

시위 진압에 발이 묶여 수많은 신고를 접수하고도 옴짝달싹
못했던 경찰이 출동한 건 꼬박 24시간이 지나서였다.
하지만 길을 막았던 헬기도 거기에 타고 있었던
사람들도, 차들 사이를 누비던 총 든 사람들도, 찾을 수
없었고 누군가 설치해 놓은 교통통제용 야광 삼각대
사이에서 완파되어 누워있는 트럭과 SUV들, 그리고 그
안의 시신들 -두세명을 제외하고는 대부분 숯덩이였던-과
도로변에 아무렇게나 딩구는 코로나 항원검사 키드들만
증거품으로 수습할 수 있을 뿐이었다.
신원을 확인할 수 있는 시신 중 두 구가 각각 카자흐 최대
꼬레이 조폭의 두목과 카자흐와 관계가 단절된 북한의
외교관임이 밝혀질 것을 안다면 출동한 경관 중 그 누구도
관여하고 싶어하지 않을 것이 뻔했다.

같은 시각 아스타나

작전실패를 보고했지만 본부의 반응은 애당초 존재한 적도 없는 작전이기에 실패했다는 결과도 있을 수 없다는 것이었고 따라서 사망한 부하들은 모두 작전 중 개인적인 이유로 탈영한 것으로 처리되었고 카디예프는 관리의 책임을 물어 북쪽의 국경수비대의 일반 병사로 강등되었다.

같은 시각 타슈켄트

"어? 대사관으로 가는 거 아니었습니까?"

당연히 트레일러와 함께 한국대사관으로 갈 줄 알았던 수현은, 아흐마드도니쉬(Akhmad Donish)가에서 직진하는 트레일러와 달리, 자신이 탄 세단이 모이거곤(Moygo'r Gon)가로 빠지자 차를 모는 요원에게 물었다. 국경을 넘으면서 웰커밍파티의 리더는 김부장과 함께 돈과 코로나 진단키트와 제갈성이 들어있는 트레일러에 탔고 수현은 웰커밍파티의 나머지 세 명이 몰고 온 볼보를 탔었다.

"먼저 들를 곳이 있습니다."
"허어, 한국 사람이었나요?"

운전대를 잡은 동양인의 유창한 한국말을 듣고 반가운
마음에 물었지만 전자는 답이 없었다. 왠지 점점 분위기가
이상하다는 생각이 들 무렵 어느덧 차는 어떤 고풍스럽고
웅장한, 하지만 교도소처럼도 보이는, 건물로 들어가는
진입로에 들어섰다. 수현의 머릿속에 빨간 불이 켜진 것은
그 건물에 걸린 깃발을 봤을 때였다. 한때 동맹으로써
자국의 깃발만큼 존중하고 따랐던, 하지만 언젠가부터
자신을 반역자로 낙인 찍고 집요하게 쫓아다니기 시작했던,
바로 그 깃발.

"이봐, 대답 좀 해봐요!"

수현이 흥분한 기색을 보이자 양옆에 앉은 요원 중 하나가
오른팔을 잡고, 다른 하나는 Sig 의 총구로 왼쪽 옆구리를
찔렀다. '젠장 또..' 5 년만에 다시 도망자 신세가 되었고
그러자마자 CIA 가 틀림없는 자들에게 잡혀 주 타슈켄트
미대사관으로 수현은 끌려 들어가고 있었다.

***

3인조는 수현을 데리고 건물 2층에 있는 문화연락관실로 데리고 올라갔다. 생각보다 넓고 쾌적한 사무실에는 연락관 외에 손님이 한 명 더 있었다.

"장군님, 수고 많으셨습니다."
이찬은 네이비 색 수트에 명품이 틀림없는 낙타 색 코트 차림이었다.
"수고에 대한 대가가 이겁니까?"
수현의 차분하지만 화난 기색을 숨길 수 없는 목소리에 이찬은 말을 이어갔다.
"요구하신 사항 중에 마지막 항목. 웰커밍파티 부분을 이행하려면 미국의 협조가 불가피했다는 거 이미 알고 계신 거 아니었습니까?"

따지고 보면 이찬은 처음부터 자신을 버릴 계획이었는데 그걸 뻔히 알면서도 그의 제안을 받아들였던 건 형편없는 트랙레코드(Track record)를 가진 자신의 운(運)에 대한 과신이었을까? 총이 있다면 그의 머리를 날려버리겠지만 그 비슷한 시도라도 했다간 자신의 머리가 날아갈 것임을 상기하며 수현은 화제를 전환했다.

"그 돈, 국고로 들어가기는 하는 겁니까?"

"아 물론…"

"이미 등에 칼도 꽂았는데 거짓말은 예의에 어긋난다고
생각하지 않나요?"

이찬은 수현을 잠시 노려보는 듯하다 갈 데가 있는 듯
자리에서 일어나며 먼저 연락관에게 인사하고 다음으로는
수현에게 말했다.

"연락관님, 아니 지부장님, 커피 잘 마셨습니다. 저는 이제
외교화물 하나를 확인하러 한국대사관 쪽으로 넘어가 봐야
할 것 같습니다. 그리고 장군님 미국까지 안전한 여행
되시길 빕니다."

마시던 찻잔을 내려놓고 일어나 CIA 타슈켄트 지부장에게
가볍게 목례한 뒤 돌아서 몇 발짝 앞의 문 손잡이를 잡은
이찬의 뒤통수를 향해 수현이 한국어로 뭔가 말했다. 그
말을 듣고 전자는 놀라면서도 뭔가 굉장히 열 받은 듯했고,
후자는 허탈하면서도 후련하게 들리는 소리로 웃었다.
영민을 제외한 나머지는 모두 어리둥절해 했다.

"그런데 이 장군, 아마 돈이 이삼천억 빌 거요.
예상하겠지만 당신이 따뜻한 사무실에 앉아 펜대 굴리고
전화질이나 하는 동안 카자흐 벌판에서 적지 않은 사람이
죽거나 다쳤소. 내 식구들도 있지만 토카예프의, 아니
카디예프의 부하들도 있었는데 아마 비인가 작전 수행 중
사망이라 가족들이 적정한 보상을 받기 어려울 거라
예상하고 내가 인당 백억원씩 챙겨줬어요."

이찬은 고개 돌려 수현을 한참 바라봤다. 그의 표정을
제대로 읽은 영민은 시그손잡이에 손을 갖다 댔지만 이찬은
그냥 이를 악물고 나가버렸다.

Epilogue

D-10 서울 미대사관 근처 국밥 집

'국밥이나 한 그릇 하자'는 제이슨 강의 연락이 온 것은
복싱 데이 (Boxing day, 크리스마스 다음날) 아침이었다.
포항에서 9:50 KTX 를 타고 상경하자 딱 점심때였고
약속장소에 가보니 긴 대기줄이 있었는데 제이슨은 그
1/3 지점 쯤에 있었다. 원래 서로 반갑게 인사를 나눌
사이도 아니긴 했지만 제이슨은 형식적인 악수 후에 바로
용건을 말했다.

"우리랑 같이 일해보지 않겠나?"
"우리? 우리가 누군가요?" 영민은 어느 정도 예상은 하고
있었지만 갑작스러운 제이슨의 말에 반 정도는 진심으로
놀라며 나머지 반 정도는 놀라는 척하며 말을 받았고
후자는 그러거나 말거나 이야기했다.
"한 우방국의 요청으로 카자흐스탄에서 '선물'을 가지고
오는 '손님'을 맞이하러 국경을 넘어 '환영조'를 조직하게
되었는데 영민을 거기 참여시키고 싶어."

CIA는 '선물'에는 전혀 관심 없고 '손님'에 관심이 있는데 한국 사람이고 군 장성 출신이며 중국의 첩자 노릇을 했던 자로, 그 사람의 신병을 확보하고 심문까지 했다가 놓쳤고 종적을 모르다가 5년만에 카자흐에서 떠올랐다는 이야기였다.

'근데 그게 나랑 무슨 상관이 있지?'라는 의구심을 소리내 말하기도 전에 제이슨은 영민이 도저히 자신의 '제안'을 거절하지 못할 한마디를 덧붙였다.

"근데 그 손님이 리정국을 달고 올지도 모른다는 소문이 있어. 아니 확실히 데려올 거라 믿네."

제이슨은 미대사관 소속 문화연락관, 다시 말해 CIA 서울 지부장이었고, 반영민은, 우연찮은 기회에, 그에게 의뢰 받아 다양한 비밀작전을 수행하는 프리랜서(Freelancer) 역할을 하고 있었다. 후자는 UDT 출신의 경찰관이었는데 역시 경찰이었던 아내가 작전 중에 사망하자 그 범인을 쫓는 과정에서 북한이 남한에서 벌인 공작을 막아낸 적이

있었다. 당시 북한의 작전담당관이, 궁극적으로 아내의
죽음에 책임이 있는 자가, 다름아닌 리정국이었다.

***

D+1 카자흐-우즈벡 국경

"Nobody fucking move! (모두 꼼짝 마!)"

처음에 영민은 자신의 눈을 믿지 못했다. 눈앞에 1년전
아내를 죽게 했던 원흉 중 하나인 리정국이 누워있었다.
심지어 상대방은 자신이 누군지 전혀 감도 못 잡고 있는
듯했다.

영민의 훈련은 카디예프가 정국의 토카레프를 버렸을 때
멀리 차버리거나 줏어들고 탄창과 약실 속 탄환을
제거하라고 이야기하고 있었지만 거기에 귀를 닫았던 건
어쩌면 의도적이었을지도 모를 일이었다.

"꼼짝 말라고 얘기했을 텐데." 주의가 분산된 줄 알았던
영민이 어느새 MP5 총구를 자신에게 향하고 있는 걸 보고
정국은 어이없는 듯 웃으며 말했다.

"거 양키인 줄 알았더니 조선 사람이구만 기래. 말로 하라,
말로…" 그러면서 그가 천천히 총을 내려놓으려 하자

"아 움직이지 말라고 했지 총 내려놓으라고 한 적 없는데"
어리둥절해 하는 정국에게 영민은 계속 이야기 했다.

"리정국씨, 나 모르겠어요? 아, 우리가 직접 만난 적은
없었구나. 난 당신에 대해 좀 아는데…"

"조선 말인거이 같은데 거 뭔 소린지 하나도 못 알아
먹겠구만. 대체 어쩌자는 거이가?"

영민은 권총을 들고는 있지만 그렇다고 발사할 준비가
되어있지도 않은 정국의 어정쩡한 자세를 보고 살짝 웃었고
후자는 항변하듯 말했다.

"동무, 대체 뉘기요? 보아하니 조선말 좀 하는 미제 앞잡이
같은데… 나 동무 같은 사람과 일 없소."

"혹시 명유연이라는 이름 들어본 적 없습니까?"

"명…뭐이?" 정국이 그 이름을 처음 들어보는 것은 그의
표정에서부터 명확했지만 왠지 영민의 얼굴표정은 점점
싸늘해 지고 있었다.

"포항에서의 일은 기억하고 계시겠지?"

그제서야 정국의 표정에 변화가 생겼고 영민에겐 그걸로
충분했다. MP5 에서 발사된 총탄은 정국이 포항에서의 일을
좀더 명확히 기억해 눈 앞의 남자의 불만이 뭔지 생각해
내려 할 때, 그의 뇌에 세 개의 구멍을 냈다.

***

D+7 아스타나 대통령 집무실

"의장 동지, 덕분에 잘 수습된 것 같소."

사짐바예프는 악수를 청하는 대통령의 손을 잡고 안도의
한숨을 내쉬었다. 카디예프의 작전이 실패했을 때 그는
자신도 조만간 옷을 벗어야 할 거라고 생각하고 있었는데
그 바로 이틀 후에 아르메니아 예레반에서 CSTO
평화유지군의 투입이 결정되었고 사흘 후에 러시아가

리드하는 다국적군이 AN-225 수송기를 통해 탈환한지
얼마 안되는 알마티 공항을 통해 입국했던 것이다.
한 때 대통령궁까지 점거했던 '폭도'들의 기세는 놀랄 만큼
짧은 시간내 꺾였고 정국은 수습되었다. 사짐바예프는 사흘
전 대통령이 푸틴과 통화했다는 내용이 궁금했지만 그
날카로운 눈빛을 보니 묻고 싶은 마음은 금방 사라졌다.

***

D+4 같은 장소

"각하, 이해해 줘서 정말 감사합니다. 더우기 즉각적
파병이라니 덕분에 정말 살았습니다."
"무슨 말씀을, 동무. 우리는 영원한 우방입니다."

러시아의 개입을 요청했던 건 꽤 오래전의 일이었다. 그렇지
않아도 독자노선을 걷던 나자르바예프에게 불만이 많은
그였기에 자신이 권좌에 오래 있기를 바랄 거라 굳게
믿었지만 우크라이나와의 전쟁에 온 신경을 집중하고 있던
푸틴의 머리 속에 아스타나, 더우기 토카예프의 안위는
우선순위가 아니었다.

이즈바스틴 재단에서 보낸 1 억불이 그의 해외 비밀계좌에
입금되기 전까지는..

***

D+30 서울 청와대

비서실장은 아스타나에서 날아온 나쁜 소식을 자신의
상관에게 어떻게 전달해야 할지 난감했다. 그렇지 않아도
좋게 봐야 파장인 직장분위기에 일하기 싫던 참이었는데 그
소식을 대통령에게 보고하는 순간 정말 때려치고 싶어 질
것 같은 느낌이었다.

'그래, 그 방법 밖에..'
"정 수석 잠깐 차 한잔 합시다."

오전내내 고민하던 그가 생각해 낸 묘안은 아프다며 반차를
내고 외교안보수석에게 책임을 떠넘기는 것이었다.
외교안보수석을 기다리며 피우지도 않을 담배를 열 번째로
꺼내 문 그의 PC 모니터에는 아스타나 대통령궁의 자신의

카운터파트(Counterpart)에게서 날아온 공문이 열려 있었다.

"지난 1월 XX일 심켄트에서 발생했던 불상사에 대해 카자흐스탄 정부는 심심한 유감의 뜻을 표하며 알마티 총영사를 비롯하여 해당 사건에 관련된 대한민국 외교관 3명을 추방하고자 합니다. 아울러 이달 XX일로 예정된 선명훈 대한민국 대통령에 대한 도스톡 훈장 수여도 취소합니다."

알마티의 현금 밴

발 행 | 2023 년 12 월07일

저 자 | Yogi (요기) Huh (yogihuh@naver.com)

편 집 | Heepub (희펍)

펴낸이 | 한건희

펴낸곳 | 주식회사 부크크

출판사등록 | 2014.07.15.(제 2014-16 호)

주 소 | 서울특별시 금천구 가산디지털 1 로 119
SK 트윈타워 A 동 305 호

전 화 | 1670-8316

이메일 | info@bookk.co.kr

ISBN | 979-11-410-5822-7

www.bookk.co.kr